MARION GRILLPARZER

LE LIVRE CULTE

LA SOUPE

MAGIQUE

VIGOT

Sommaire

Le Secret
de la Soupe magique

> La pilule miracle n'existe pas, mais la soupe magique, quant à elle, est bel et bien efficace. Elle stimule le métabolisme et vous permet d'éliminer les graisses sans créer de sensation de faim. D'ailleurs, les stars y reviennent toujours lorsqu'elles souhaitent perdre quelques kilos. Cette soupe est même prescrite médicalement, car elle détoxique le corps. Si elle ne prétend pas résoudre tous vos problèmes de ligne, la soupe magique vous permet du moins de mettre le pied à l'étrier pour mener une vie plus seine, pleine de joie et d'énergie.

Lorsque la petite bedaine freine l'action du golfeur, l'ancien agent 007 avale une soupe magique : Sean Connery se veut mince pour pratiquer son sport préféré. Idem pour la star allemande de la télévision, Birgit Schrowange. Lorsqu'elle veut enfiler sa petite tenue rouge, elle émince chou, tomates, oignons et céleri pour préparer une soupe magique qu'elle boira toute une semaine. Kate Winslet a eu recours à cette même potion magique avant de se lancer dans le tournage du « Titanic ». Après les réceptions hollywoodiennes arrosées de champagne, pendant lesquelles on dévore homard et caviar, Sharon Stone, Glenn Glose et Michelle Pfeifer plongent elles aussi dans la marmite de soupe magique pour retrouver la ligne. La maison de Karl Lagerfeld est également accoutumée aux fortes odeurs de ce régime américain.

Mais d'où vient cette recette minceur ?

Les mannequins de Paris, Londres, Munich et New York se refilent la recette en chuchotant derrière le podium. Mais personne ne sait vraiment d'où elle vient. Tantôt on entend dire qu'elle aurait été inventée par les médecins de la célèbre clinique américaine Mayo, tantôt il s'agirait de cardiologues californiens qui la prescriraient aux patients avant de les opérer, leur recommandant de perdre les kilos superflus pour laisser le champ libre au scalpel.

La recette minceur porte différents noms selon les pays. Mais on ignore toujours depuis quand elle existe, peut-être 15 ou 30 ans… Quoi qu'il en soit, on y a souvent recours et elle est même publiée régulièrement dans la presse. Les médecins la prescrivent également en tant que régime amaigrissant et pour renforcer le système immunitaire. La soupe au chou est à la mode. Sur Internet, elle comprend à elle seule 173 426 entrées, vaste éventail comprenant aussi bien des recettes internationales que des expériences personnelles.

Elle a bon goût et c'est le principal ! Les grands chefs cuisiniers sont là pour y veiller

Peu importe l'inventeur de la soupe au chou ! Elle est facile à préparer, et même si elle ne respecte pas à la lettre la recette d'origine, elle est délicieuse au goût. C'est bien là l'essentiel !
L'approche un peu écœurante que l'on pouvait en avoir est définitivement révolue. La soupe au chou figure d'ailleurs à la carte de grands restaurants et dans cet ouvrage, des grands chefs cuisiniers quatre étoiles ont bien voulu nous communiquer la leur ! C'est bien la preuve qu'elle met l'eau à la bouche des gourmets. Reportez-vous au quartet culinaire à partir de la page 20.
Elle remporte également l'adhésion des ténors. Le chanteur munichois, Gregor Prächt a testé la soupe : « Voulez-vous répéter ? Sept jours de soupe au chou ? Non merci ! Ce fut ma toute première réaction. Mais un coup d'œil à ma bedaine m'a fait changer d'avis. Les recettes des grands cuisiniers sont uniques et ce régime est parfaitement adapté aux célibataires endurcis. Il suffit de préparer une grande marmite de soupe et l'on promène son thermos partout avec soi. Les sept jours ont filé à la vitesse de l'éclair, sans sensation de faim, ni d'efforts ascétiques. Et ma bedaine a disparu aussi rapidement. La soupe est efficace : j'ai perdu plus de 4 kg en sept jours. En plus, elle est délicieuse. Je renouvellerai l'expérience ! »

La soupe au chou est très prisée par les célébrités hollywoodiennes. Sean Connery n'hésite pas à en consommer lorsque sa bedaine le freine au golf.

La recette d'origine de la soupe au chou a probablement une trentaine d'années. Elle a été mise au point par le corps médical. Si notre santé ne peut que s'en réjouir, ce n'est pas forcément le cas de notre palais. Difficile de l'absorber sept jours durant sans avoir d'autres aspirations culinaires.

Le ténor Gregor Prächt a testé les recettes des grands chefs cuisiniers. Il est ravi du résultat !

La recette d'origine

1 chou blanc
2 poivrons verts
1 kg de carottes
6 oignons blancs
1 botte de céleri en branches
1-2 boîtes de tomates en conserve
1-2 cs d'extrait de bouillon de légumes

➤ Lavez les légumes puis coupez-les en morceaux. Faites-les cuire dans l'eau. Réduisez le feu et poursuivez la cuisson jusqu'à ce qu'ils soient tendres. Assaisonnez sans ajout de sel.

Le régime d'origine

On peut boire de la soupe à volonté.
Les autres aliments autorisés sont :
1er jour : tous les fruits à l'exception de la banane
2e jour : tous les légumes verts et le soir, une pomme de terre au beurre
3e jour : fruits et légumes, mais pas de pomme de terre
4e jour : 3 bananes et du lait écrémé
5e jour : 1 blanc de poulet ou du poisson, 6 tomates
6e jour : un steak et de la salade verte
7e jour : du riz complet et des légumes

Cuillerée après cuillerée, l'humeur gagne en tonus tandis que le poids chute.

tion. Les recettes des grands cuisiniers sont formidables, et dès le second jour, on se sent bien mieux dans sa peau.

Les avantages d'un tel régime

Ils sont nombreux :

➤ Il est extrêmement pratique car on peut le suivre partout et tout le temps. Il est adapté au quotidien et à la vie de célibataire.

➤ Il permet de perdre jusqu'à 5 kg en 7 jours – pas seulement de graisse, mais également d'eau.

➤ Il procure une sensation de bien-être car il alimente le corps en substances nutritives et non en colorants chimiques.

➤ Il renforce le système immunitaire.

➤ Il permet de gagner en énergie.

➤ Il redonne du plaisir à la vie et l'envie d'adopter de nouvelles habitudes alimentaires. Ce livre recèle une multitude de conseils pour conserver son nouveau poids.

Le chou : un aliment nourrissant aux effets notables

Le chou, c'est un plein d'énergie :

➤ Il est évident que le chou ne peut nous faire prendre du poids ! Il est constitué à 95 % d'eau et 100 grammes de chou contiennent 22 calories. En plus, il regorge de fibres. Il est riche en protéines et pauvre en glucides et ne laisse donc pas libre cours à l'insuline, l'hormone qui fait grossir.

Le secret

➤ Les vitamines B qu'il contient stimulent le métabolisme.

➤ Le chou blanc est bon pour le moral grâce

Quelques cuillerées suffisent à retrouver sa bonne humeur !

Plus question de la cure de soupe au chou, telle qu'elle était pratiquée il y a 30 ans ! Aujourd'hui, les spécialistes ont repensé la recette, et elle est encore plus seine et efficace. Ce régime ne permet pas seulement de perdre les quelques kilos superflus, mais également d'épurer et de détoxiquer le corps. Que les choses soient bien claires dès le départ : pas question de se laisser aller à la plus petite des tentations ! Il faut renoncer un temps au pain, au chocolat et au verre de vin.

Sept jours, ce n'est tout de même pas la mer à boire ! Et puis il ne s'agit pas vraiment de priva-

au sélénium qui est un oligo-élément favorisant la production de substances aptes à rendre joyeux.

➤ Le chou est bon pour les nerfs car il apporte de l'acide folique, vitamine B excellente pour le système nerveux.

➤ Les émanations de chou que nous sentons dans la maison préviennent le cancer.

➤ Sa vitamine C accélère la combustion des graisses dans les mitochondries, les petits fourneaux de nos cellules.

➤ Le chou est riche en magnésium, calcium, fer, iode et zinc.

➤ Sa forte teneur en potassium a une vertu dépurative.

➤ Sa vitamine A protège la peau.

➤ Émanations et colorants naturels ont des propriétés antibiotiques, éliminent les bactéries et font chuter le taux de cholestérol.

Une efficacité illimitée...

Il vous manque encore un argument pour être vraiment convaincu ? Eh bien, vous le trouverez sûrement parmi ceux-là, car le chou soigne également les troubles du sommeil, renforce le système immunitaire, capitonne les nerfs, sollicite la libido et l'énergie mentale. Reportez-vous à la page 28 pour en savoir davantage.

Et quels sont les inconvénients ?

En voici quelques-uns :

➤ L'arôme de ce légume se répand dans toute la maison, et vous-même sentez aussi le chou. Un peu de vinaigre dans l'eau de cuisson ôte à l'odeur son acidité.

➤ Cette cure n'est pas adaptée aux adultes et aux enfants qui ne doivent pas suivre de régime pour des raisons médicales.

➤ Certains tubes digestifs ne supportent absolument pas le chou !

Attention aux flatulences !

Avez-vous lu ou vu « L'hôtel New Hampshire » de John Irving ? Un chien joue un rôle important et il souffre de flatulences. Toute la famille compatit. Le livre et le film ont popularisé le terme médical de flatulence. Enfin un mot à poser sur ce dont on n'a pas l'habitude de parler.

Pour en revenir à notre affaire, il est tout à fait possible que vous soyez victime de flatulences pendant les sept jours de régime. Vous, de même que vos collègues et votre famille, car le chou est effectivement le légume le plus apte à provoquer ce genre de dérangement. Le professeur Schleicher recommande dans son interview (cf. page 15) d'ajouter à la soupe des feuilles de camomille. Peut-être est-il préférable pour les gourmets de boire une infusion. Le cumin et le fenouil luttent également très bien contre ces sensations désagréables. Buvez-les en tisane.

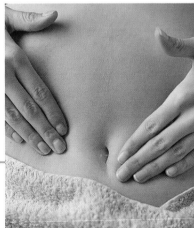

Quelquefois, il arrive que le ventre gargouille. Le cumin et le fenouil y remédient efficacement. Pratiquez également un petit massage dans le sens des aiguilles d'une montre.

Et la magie dans tout cela ?

Une chose dont vous pouvez être sûr, c'est que le régime ne dissimule aucun tour de passe-passe. La mystérieuse recette de la soupe magique se transmet depuis plusieurs générations de marmite en marmite grâce à son indice glycémique, formidable brûleur de graisse, et à son effet d'épuration.

L'effet de combustion des graisses

Pour parvenir à digérer la soupe, notre corps doit produire de l'énergie. Où va-t-il la trouver ? Dans nos chères rondeurs. De même, les fruits et légumes que nous pouvons manger à volonté, incitent le métabolisme à brûler des graisses grâce à leur apport en nutriments essentiels. Pendant les sept jours de régime, nous ne faisons pas ripaille avec des calories, puisque la soupe ne contient quasiment pas de graisse. Reportez-vous à la page 12 et suivantes.

L'indice glycémique

L'autre facteur minceur consiste à se soustraire à la dictature des mauvais glucides.
L'indice glycémique des aliments préside à notre destinée minceur. Soit les hormones déclenchées par notre alimentation participent à l'élimination de la graisse, soit elles la thésaurisent. Pour en savoir plus, reportez-vous à la page 44.

Libéré une fois pour toutes

La soupe au chou détoxique et décrasse l'organisme. Nous éliminons l'excédent d'eau et nous nous sentons plus en forme, joyeux et rempli d'énergie dès le second jour. Vous êtes sceptique ? Alors lisez d'abord l'interview de la page 15, puis faites l'essai vous-même.

Ne vous fiez pas à la balance ; fiez-vous plutôt à votre jean ou à un mètre de couturière : ils sont plus sûrs.

Vous pesez trop lourd ?

Les kilos superflus représentent un risque pour la santé, mais cela vaut également pour les régimes non justifiés. Calculez d'abord votre indice de masse corporelle (IMC), et vous saurez si vous avez vraiment des kilos à perdre (cf. encadré).

CONSEIL

LE RÉGIME ÉCLAIR

Ce n'est pas la seule manière de mettre un terme à vos problèmes de poids, mais un bon moyen de vous aider à modifier vos habitudes alimentaires. La soupe au chou vous met le pied à l'étrier. Grâce au régime alterné (cf. page 88), vous parviendrez sainement à éliminer les rondeurs les plus « persistantes ». Les 77 astuces magiques (cf. page 106) vous donneront un coup de pouce pour garder longtemps la ligne.

Muscles ou graisse ?

De quoi votre corps est-il constitué ? de muscles ou de graisse ? Ni votre IMC, ni votre pèse-personne ne vous l'indiqueront, et c'est bien dommage. Vous pouvez vous habiller en 36 et avoir des kilos super-flus parce que vous fabriquez de la graisse et non du muscle. De même, vous pouvez porter du 44 et être tout de même en pleine forme et tout en muscle. Alors pas question de se mettre au régime, car c'est le muscle qui brûle la graisse !

Méfiez-vous du pèse-personne

Pendant les sept jours de régime (et, encore mieux : définitivement), considérez le pèse-personne comme un « faux ami », car :

➤ Il ment : la balance se méprend sur votre poids. Elle n'indique que les kilos et ne précise pas s'il s'agit de muscle, de tissu boursouflé ou de graisse gélatineuse.

➤ Il est perfide car il indique que vous prenez du poids quand vous perdez de la graisse ou quand vous gagnez en muscle. Processus bien normal si vous ne passez pas votre temps affalé sur le canapé pendant la phase de régime, à attendre qu'un miracle se produise. Les muscles sont plus lourds que la graisse.

➤ Il est infâme car il dicte sa loi. Affranchissez-vous de la dictature matinale de ce monstre dénué de conscience.

Faites-vous confiance

Palpez votre corps et sentez comment vos petites rondeurs s'estompent. Faites confiance à votre jean qui vous laisse un peu plus de marge chaque jour. Et si vous ne parvenez pas y croire, posez un mètre de couturière autour de votre taille. Celui-ci ne vous racontera pas d'histoires.

L'INDICE DE MASSE CORPORELLE

$$IMC = \frac{\text{Poids du corps (en kg)}}{\text{Taille du corps (en m}^2)}$$

Exemple : chez une femme mesurant 1,70 m et pesant 65 kg, l'IMC sera :
65 : (1,70 x 1,70) = 22,5

Où en êtes-vous ?

➤ En dessous de 19 : vous ne devriez pas faire de régime.

➤ Entre 19 et 25 : magnifique, vous faites le poids idéal.

➤ Entre 25 et 30 : léger surpoids. La soupe au chou vous permettra de perdre quelques kilos.

➤ Au-dessus de 31 : surpoids très net. Vous devriez perdre du poids dans l'intérêt de votre santé. Discutez-en avec votre médecin.

Évaluez vos rondeurs

Achetez-vous un impédancemètre, balance qui calcule les graisses. Elle évalue, à l'aide d'un courant basse tension, la part de graisse et de muscle de votre corps. Vous pouvez ainsi vous peser une fois avant de commencer le régime, puis une autre fois le matin du huitième jour. Elle vous indiquera très précisément la quantité de graisse que vous êtes parvenu à perdre.

Ni le pèse-personne, ni votre IMC ne vous informeront sur la graisse que vous perdez pendant le régime et sur les muscles que vous prenez. Achetez-vous une balance spéciale qui vous indiquera ces détails d'importance.

Abordons maintenant le fonctionnement de ce régime magique. La soupe au chou à elle seule ne suffit pas. Viennent s'ajouter d'autres amincissants naturels regroupés dans un programme astucieux de 7 jours. Mais il est évidemment indispensable de s'y tenir. Remarque : si vous souffrez de problèmes particuliers, demandez à votre médecin si vous êtes apte à suivre un régime et montrez-lui cet ouvrage. En principe, il ne devrait pas se montrer réticent, dans la mesure où ce régime est sain.

1. Du chou à la carte

Faites cuire tous les deux jours une grande marmite de soupe au chou en choisissant votre recette. Goûtez à la version asiatique du grand cuisinier Eckart Witzigmann, puis à la soupe méditerranéenne de Koja Kleeberg, à la recette nord-africaine de Christian Lohse, sans oublier la préparation italienne de Frank Buchholz. Toutes ces recettes sont faciles à cuisiner et sont même délicieuses.

2. De la soupe à volonté

Vous pouvez boire de la soupe à volonté : au déjeuner, au dîner et même entre les repas, si vous en avez l'envie. D'ailleurs ceci est vivement recommandé. Plus vous absorberez de soupe, plus vous perdrez de poids. En outre, ce principe aide à comprendre le fait que manger sainement ne peut pas faire grossir, mais alimente en revanche nos 70 milliards de cellules de nutriments essentiels et précieux. Ceux-ci président à notre bonne humeur, à la clarté de nos pensées et à notre énergie vitale. Conservez la soupe au réfrigérateur et faites-la réchauffer selon vos besoins.

3. La bouteille thermos est de mise

Lorsque vous vous déplacez, emportez une bouteille thermos remplie de soupe. Celle-ci maintient la soupe au chaud, ou bien la garde bien fraîche selon vos besoins. Un conseil pour le bureau : emportez-en une bonne quantité car vous ne serez pas le seul à vouloir y goûter. Vous verrez !

4. Soyez discipliné

Respectez à la lettre les aliments indiqués chaque jour.
Si vous faites le choix d'enchaîner avec le régime alterné, les règles sont moins strictes et vous pouvez interchanger les recettes selon vos envies. Alternance signifie qu'une journée de combustion des graisses (proposant des aliments minceurs) succède à une journée de soupe au chou. Reportez-vous à la page 88.

5. Buvez beaucoup !

Absorbez un minimum de trois litres d'eau minérale non gazeuse et de tisanes par jour. Évitez

l'alcool pendant la phase de régime. Reportez-vous à la page 52.

Pas de meilleur régime que les chaussures de jogging.

6. Des protéines en supplément

Le matin et l'après-midi, buvez une solution de protéines à base de poudre. Vous pouvez la remplacer par du petit-lait ou du babeurre. Achetez-vous une bonne poudre protéique en pharmacie. Votre corps a besoin de protéines pour brûler les graisses. L'ancien régime de soupe au chou n'en comptait pas suffisamment. Mais aujourd'hui, nous savons que si nous n'absorbons pas entre 50 et 100 g de protéines par jour, notre corps puise dans ses réserves et donc dans les muscles.

7. Bougez et respirez !

Vous devez vous consacrer trois fois par jour à des exercices de respiration, courir 30 minutes au grand air (ou sauter 15 minutes sur le trampoline), et faire travailler vos muscles 10 minutes. Reportez-vous à ce propos aux pages 46 et 54.

L'eau minérale non gazeuse avec du jus de citron est un bon moyen de garder la ligne.

8. Sept jours suffisent

Ne prolongez pas le régime au-delà de sept jours. Si vous souhaitez perdre très peu de poids ou bien simplement détoxiquer votre corps, trois jours suffisent amplement. Vous trouverez page 80 une introduction au régime week-end. Si vous prolongez au-delà du délai indiqué, votre corps en souffrira. Ce n'est pas bon pour le métabolisme et vous reprendrez rapidement les kilos perdus. C'est ce qu'on appelle l'effet « yo-yo » (cf. page 54).

9. Le régime alterné dans la foulée

Si vous souhaitez perdre davantage de poids, vous pouvez entreprendre ensuite le régime alterné comme indiqué à la page 88. Il empêche l'effet « yo-yo ». Et comme vous ne boirez plus la soupe que tous les deux jours, votre palais ne sera pas lassé.

14

⑩ Le moment opportun

Ne commencez jamais un régime lorsque votre partenaire vous dit : « Tu devrais maigrir ». Vous êtes seul maître de votre corps et de votre âme. Donc à vous de prendre la décision !

➤ Commencez-le quand vous en avez l'envie et que vous vous sentez prêt. Ce ne sera certainement pas la bonne période si votre agenda de la semaine comporte trop de rendez-vous, invitations et festivités. Choisissez une semaine calme et non un moment où vous vous investissez dans un nouveau travail. Pas question de vous mettre mal à l'aise en ayant l'impression de sentir le chou.

➤ Les périodes idéales indiquées par le calendrier sont les suivantes : après les fêtes de Noël, quand on est complètement rassasié. Ou bien pendant un temps que le corps apprécie particulièrement, notamment au printemps quand le métabolisme est à la minceur.

➤ Ceux qui croient aux influences de la lune, constateront que le régime est plus efficace lorsque la lune décroît.

Sans nutriments essentiels, pas de combustion des graisses.

⑪ Les nutriments essentiels contre la graisse

➤ Les vitamines et minéraux participent à la perte de poids. En l'absence de nutriments essentiels, la graisse reste sur les hanches. Mais n'ayez crainte, le régime de la soupe au chou propose des fruits et légumes en quantité suffisante. Nous vous recommandons, cependant, de vous acheter une bonne préparation vitaminée en pharmacie, et en supplément : du magnésium et du potassium à diluer dans de l'eau.

⑫ L'huile d'olive : le partenaire minceur

Autrefois, aucune graisse n'était introduite dans la soupe. Aujourd'hui, on cuisine à l'huile d'olive, car nous avons besoin de ses acides gras essentiels au même titre que des vitamines. Sans elle, il est impossible à votre corps de produire les hormones minceur. Les grands cuisiniers versent eux aussi de l'huile d'olive dans la soupe. Ajoutez-en quotidiennement 2 à 3 cuillerées dans votre salade.

L'huile d'olive permet la production de l'hormone minceur.

Magie et **Recette**

Interview avec le professeur Schleicher

Le professeur Schleicher, immunologiste, prescrit la soupe au chou à ses patients – et ce avec succès.

S'agit-il d'un simple tour de passe-passe ou bien peut-on vraiment perdre du poids avec la soupe au chou ?

Dr Schleicher : Nous avons maintenant six années d'expérience derrière nous, et je peux vous affirmer que ça marche. Nos patients perdent entre quatre et six kilos dans la semaine. Ils se sentent en forme et pleins d'énergie. Ce régime est pratique, parce que faisable à tout moment, adapté aux célibataires et aux gens actifs. Il est également possible de faire trois jours de régime et de perdre ainsi les kilos pris pendant les fêtes.

Ce régime est-il bon pour la santé ?

Bien sûr. Il s'agit d'un régime médical qui renforce le système immunitaire et détoxique le corps à tous les niveaux. La plupart des régimes freinent le mécanisme de détoxication. Le régime Atkin, par exemple, provoque la goutte, parce que les reins ne peuvent pas tout éliminer.

Quel est l'ingrédient le plus efficace de la soupe magique ?

Le chou se charge du plus gros du travail : 100 grammes ne contiennent que 22 calories et beaucoup de fibres. Pour absorber le chou, le corps a besoin d'une plus grande quantité d'énergie que celle fournie par l'aliment. Le chou accélère la combustion des graisses. Plus on en mange, plus on maigrit. En outre, il apporte vitamines B et C, indispensables au métabolisme énergétique. Sans elles, la graisse resterait sur les hanches. Le surpoids est souvent à mettre sur le compte d'une carence en nutriments essentiels.

Pourtant, certaines personnes ne supportent pas le chou ?

Il existe un remède très simple pour ceux qui digèrent mal la soupe : il suffit de verser une petite poignée de fleurs de camomille dans de l'eau bouillante.

Certains disent que les toxines ne sont que pure invention...

C'est faux. Les toxines existent. Vous seriez surpris de voir ce qu'un hot-dog peut provoquer dans l'organisme ! Une mauvaise alimentation perturbe le taux d'acidité, et le corps se met à produire des dépôts acides en excédent, qui corrodent les structures cellulaires. Il s'agit bien de toxines ! Résultat, nous sommes fatigués, nous souffrons de problèmes de circulation sanguine, de rhumatismes, de goutte et d'arthrose. L'organisme thésaurise alors une trop grande quantité d'eau pour neutraliser les substances acides et nous sommes boursouflés.

Hans a été gavé de sucreries par la sorcière. Est-ce vraiment la méthode la plus efficace pour devenir rapidement obèse ?

Oui. On parle de gavage en insuline. Les glucides sous forme de bière, de sucreries et de farine blanche incitent l'organisme à produire continuellement de l'insuline et provoquent l'adiposité du foie.

Plus on absorbe de chou, plus les molécules graisseuses disparaissent des hanches et du bassin.

Plus de 70 % des Français sont atteints de cirrhose graisseuse. Ceci signifie que le principal organe de détoxication ne peut plus faire son travail convenablement. Il s'ensuit généralement un diabète de type II et la goutte. L'organisme stocke des métaux lourds et d'autres substances toxiques. La digestion et le processus de destruction des graisses sont perturbés. On continue à prendre du poids et l'on est atteint de fatigue chronique. Les défenses immunitaires s'affaiblissent et les vaisseaux se calcifient. À terme, c'est l'attaque cérébrale ou l'infarctus assurés.

Le Dr Peter Schleicher, immunologiste, prescrit volontiers des médications naturelles : plutôt la soupe au chou que des coupe-faim.

Comment la soupe magique parvient-elle à détoxiquer l'organisme ?

La soupe au chou effectue un drainage sur quatre niveaux : les systèmes digestif, lymphatique, cardiovasculaire et immunitaire agissent en commun pour éliminer les poisons.

La soupe nettoie donc le corps de fond en comble ?

Oui. Chacune des substances qu'elle contient a une action spécifique. Les légumes nettoient l'intestin grâce aux fibres. Ils contiennent des substances immunisantes telles que les flavonoïdes, qui active tellement les cellules dévoreuses du système immunitaire, qu'elles éliminent trois fois plus d'ennemis que d'habitude.

Quelles sont les actions du céleri et du poivron ?

Le céleri génère de l'eau et sollicite la production de sucs gastriques, et plus on en a, plus vite on est rassasié. Le poivron dans la soupe accélère également la sécrétion de la salive et la production de sucs gastriques. En outre, il fournit de la vitamine C hautement concentrée.

La vitamine C fait également partie des brûleurs de graisse ?

Oui. Les gens trop enrobés souffrent souvent de carence en vitamine C.

Et les oignons ?

Des études montrent que l'oignon tue les bactéries, freine les inflammations, fait chuter le taux de graisse et de sucre dans le sang et réduit la pression artérielle. Il améliore la circulation sanguine et prévient l'infarctus et le cancer. L'action favorable de cet aliment sur la circulation sanguine permet aux tissus d'être mieux irrigués et de ne plus retenir les scories. Tout l'organisme élimine.

Le chou ne fait pas
le travail tout seul.
Des ingrédients de base
importants participent
à la combustion
des graisses
et à la détoxication
de l'organisme.

Les tomates et carottes complètent-elles la formule magique ?

Une alimentation riche en tomates offre – d'après les résultats de nombreuses études – une protection contre le cancer et les maladies cardio-vasculaires, par le fait de l'action d'une substance secondaire, la lycopine. Grâce à celle-ci, la tomate est à l'abri des champignons et bactéries. La lycopine active le système immunitaire et fait chuter le taux d'insuline. Les carottes contiennent des carotènes qui capturent les radicaux libres, molécules d'oxygène agressives qui détruisent les cellules et les substances génétiques. Les carottes protègent la peau des rayons ultra-violets et préviennent le cancer.

Quelles sont les précautions à prendre pendant le régime ?

On élimine une grande quantité d'eau et donc de minéraux et oligo-éléments. Il faut donc s'acheter une bonne préparation en vitamines et minéraux et en boire beaucoup. La poudre protéique empêche la destruction des protéines et donc des muscles.

Que faire s'il devient impossible d'absorber la soupe au bout de trois jours ?

Cela se produit rarement. Mais si c'est le cas, je recommande de passer la soupe au mixeur et de la boire. Généralement, cela renouvelle le goût.

À PROPOS DU MOT « RÉGIME »

« Régime » vient du grec et signifie conception de la vie, art de vivre. Celui-ci peut donc être joyeux et devenir un véritable plaisir. Manger des œufs des semaines durant ou bien compter les calories pendant des années n'a rien d'un art de vivre. Bien au contraire. Alors optons pour l'invitation, la nourriture, le plaisir et la conception de la vie.

La soupe au chou n'est pas non plus un art de vivre. Il faut davantage la considérer comme la mise en route d'un nouveau mode de vie. Cet ouvrage devrait vous permettre de modifier votre vision de l'existence. Manger est essentiel à la santé, au bien-être et au moral.

Un bon régime implique...

➤ Aucune sensation de faim

➤ L'alimentation suffisante des 70 milliards de cellules organiques en nutriments essentiels

➤ Que le plaisir n'est pas laissé pour compte

➤ Que la balance indique une perte de poids après le régime

➤ Des indications pour l'activité physique

➤ Des moyens de se détendre

➤ Des promesses autant que des explications sur le fonctionnement de l'organisme

➤ Un sentiment de bien-être et de gaieté

Les recettes des grands cuisiniers

19

> La magie du raffinement : la recette d'origine de la soupe au chou est parvenue à quatre grands chefs cuisiniers, et ces talentueux artistes l'ont transformée en véritables régals pour les palais délicats. Essayez ces recettes, perdez jusqu'à cinq kilos et faites-nous part de vos impressions ! En vous reportant à la page 28, vous apprendrez tout ce qu'il faut savoir sur le chou et ses vertus cachées, sur sa grande famille et les cousins que l'on retrouve dans les marmites des quatre coins du monde, de même que sur la manière dont vous pouvez le cultiver.

Eckart Witzigmann

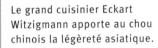
Le grand cuisinier Eckart Witzigmann apporte au chou chinois la légèreté asiatique.

Cet élève de Bocuse compte parmi les maîtres allemands en matière d'art culinaire. Il nous faut malheureusement nous envoler pour Majorque si l'on veut déguster les plats mijotés de ses propres mains. Mais ce n'est pas le cas pour la soupe au chou. Il vous suffit de préparer la marmite et de suivre consciencieusement la recette que ce grand spécialiste accepte de révéler. Vous verrez, c'est un régal.

La soupe au chou asiatique

Eckart Witzigmann assaisonne la soupe au gingembre, à la citronnelle et ajoute du piment.

La quantité indiquée est suffisante pour un ou deux jours en fonction de votre consommation.

Ingrédients

500 g de chou blanc
300 g de chou-fleur
170 g de carottes
1 branche de céleri
300 g de tomates en grappes
2 poivrons rouges
150 g de petits oignons
150 g de poireau
2 cs d'huile d'olive de Crète
1 cs de poudre de curry jaune

1 cs de cumin râpé
2 gousses d'ail fraîches
0,2 l de purée de tomate
1,5 l d'eau
2 cubes de bouillon de légume
1 cs de graines de coriandre concassées
2 feuilles de laurier
2 petits piments séchés et hachés
2 cm de gingembre frais
1-2 branches de citronnelle
Quelques gouttes de sauce soja
Feuilles de coriandre fraîches
Persil frais

Préparation

① Lavez les légumes, nettoyez-les et coupez-les menu. Faites blondir oignons et poireau dans une grande marmite avec de l'huile d'olive. Ajoutez le curry, le cumin et l'ail. Laissez cuire brièvement.

② Ajoutez le restant de légumes, la purée de tomate et de l'eau.

③ Versez les cubes de bouillon, les graines de coriandre, les feuilles de laurier, les piments, le gingembre et la citronnelle et faites bouillir.

④ Laissez cuire 10 minutes supplémentaires, puis baissez le feu en poursuivant la cuisson jusqu'à ce que les légumes soient tendres. Assaisonnez de sauce soja et d'herbes hachées.

Les vertus des herbes

➤ La citronnelle : cette épice asiatique à l'arôme soutenu de citron frais, active le métabolisme. Elle donne du goût à la viande, au poisson et aux soupes. Généralement, une tige suffit. On coupe le tiers inférieur ferme et vert clair en rondelles. On peut laisser infuser la feuille semblable à de l'herbe et la servir en boisson : 2 cuillerées à café par tasse, infusion pendant cinq à dix minutes. La citronnelle fait baisser la fièvre, apaise les flatulences et les maux d'estomac. On la consomme également séchée ou bien en poudre.

➤ Le gingembre : cette racine asiatique ardente au goût relevé assaisonne le poisson, la viande et les soupes. Elle soulage en cas de mal de mer et de gueule de bois, favorise la circulation sanguine, renforce le cœur et soigne les inflammations.

➤ La coriandre : la graine fraîche moulue a un arôme d'orange amère. L'herbe fraîche a le goût du poireau et du citron poivré. Chez nous, on mâchonne les feuilles à l'arôme d'ail.

21

La citronnelle apporte à la soupe au chou de Eckart Witzigmann un petit « je ne sais quoi ».

Kolja Kleeberg

Kolja Kleeberg est connu pour ses apparitions à la télévision allemande au moment du petit-déjeuner. « La philosophie de Kolja Kleeberg se rapporte au calendrier de la nature. La nature met à notre disposition les substances nutritives dont nous avons besoin, au moment où nous en avons besoin. Au printemps, les asperges aident l'organisme à éliminer l'eau que nous avons retenue pendant l'hiver. En été, notre corps a besoin de beaucoup d'eau : les concombres et tomates en sont constitués à 95 %. Les choux d'hiver nous fournissent trois fois plus de vitamine C que les citrons et sont plus précieux qu'un petit bol de fraises canadiennes. La soupe au chou se prépare en toute saison, car plusieurs sortes de choux poussent tout au long de l'année, et l'on peut, en outre, la déguster froide parce qu'elle contient de beaux légumes rafraîchissants comme la tomate ».

La soupe au chou méditerranéenne

Les anchois et la tapenade emmènent les palais gourmands en Méditerranée.

Recette pour un ou deux jours.

Ingrédients

1 poivron rouge
1 poivron jaune
250 g de carottes
3 branches de céleri
250 g de mange-tout
500 g de chou blanc
1 gros oignon
2 gousses d'ail
4 cs d'huile d'olive

Sel marin
2 piments secs
1 l de bouillon de légume
2 branches de thym et 2 de basilic
1 brin de sauge
3 anchois (filets de sardine)
4 tomates en grappes
75 g d'olives noires dénoyautées
2 cs de vinaire balsamique blanc

Pour la tapenade :

200 g d'olives noires dénoyautées
3 anchois (filets de sardine)
2 branches de thym
Zeste d'un citron non traité
50 g de câpres en saumure
(les dessaler pendant la nuit !)
0,2 l d'huile d'olive provençale
Sel et poivre du moulin

Préparation

1 Faites cuire les poivrons 30 minutes dans un four à air pulsé à 175 °C. Enfermez-les ensuite dans un sac congélation. Ôtez-leur la peau au bout d'une demi-heure.

2 Nettoyez les carottes, le céleri et les mange-tout et coupez-les menu. Épluchez les feuilles du chou et coupez-les à la main en petits morceaux. Épluchez l'oignon et coupez-le en huit dans le sens de la longueur.

3 Faites blondir l'oignon et les gousses d'ail non épluchées dans l'huile d'olive. Procédez de même avec les carottes, le céleri et les mange-tout en les laissant cuire une minute au maximum, et finissez par le chou blanc. Assaisonnez de sel et de piment haché. Ajoutez le bouillon et laissez cuire le tout.

Attachez ensemble le thym, le basilic et la sauge et plongez-les dans la marmite. Couvrez et laissez macérer. Repêchez les gousses d'ail.

4 Passez les anchois sous l'eau et coupez-les menu. Échaudez les tomates puis ôtez-leur la peau et coupez-les en morceaux. Coupez en dés les poivrons après leur avoir ôté la peau. Ajoutez le tout à la soupe avec les olives. Assaisonnez de sel et de vinaigre balsamique. Laissez macérer 5 minutes supplémentaires.

5 Pour la tapenade : mixez les olives, les anchois coupés en petits morceaux, les feuilles de thym et le zeste de citron. Ajoutez l'huile d'olive en remuant. Salez et poivrez. Ajoutez cet appareil dans chaque assiette de soupe.

Les vertus des herbes

➤ Le thym : ce condiment méditerranéen accompagne idéalement la viande grillée et le poisson en sauce ou en ragoût. Le thym séché apporte un arôme trois fois plus soutenu que les feuilles fraîches. Le thym est apprécié depuis toujours pour ses vertus médicinales. Ses huiles essentielles luttent contre les crampes, soignent la toux et tiennent tête aux bactéries.

➤ La sauge : les druides croyaient que ses effets magiques pouvaient réveiller les morts. Elle facilite la digestion, active la bile et le foie et inhibe la croissance de micro-organismes générateurs de maladies. Son arôme s'accorde bien avec l'ail, l'oignon et le romarin.

➤ L'ail : il fait baisser la pression artérielle et nettoie les artères. La cuisson adoucit son arôme caractéristique. Après une « orgie » d'ail, il est conseillé de mâcher des grains de café ou du persil.

CONSEIL

23

La philosophie de Kolja Kleeberg - chef cuisinier du restaurant VÂU à Berlin – est de régaler tous les sens. Sa cuisine est exclusivement consacrée aux aliments frais. On utilise uniquement les fruits et légumes de saison issus de l'agriculture biologique, et tous les plats sont préparés sur place. Téléphone : 00 49 30 202 97 30

Christian Lohse

Christian Lohse est le grand chef cuisinier du restaurant « Windmühle » à Bad Oeynhausen (Tél. : 00 49 573 19 24 62). Il est très doué pour la cuisine légère et sans graisse, à la française. Ses plats composés de légumes frais issus de l'agriculture biologique envoûtent le palais et l'âme.

24

Aimez-vous le chou, Monsieur Lohse ? « Bien sûr. Mais il y a chou et chou. J'ai grandi à la campagne et je mangeais le chou du jardin. Le couper, le laver et le cuire, c'était un poème ! S'il est récolté le matin et cuit dans la foulée, il est croquant, frais, épicé et poivré à loisir. Les clients se réjouissent lorsque nous leur proposons du chou à la carte. Langoustines grillées, chou estival et truffes, c'est une combinaison absolument délectable ».

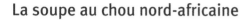

La soupe au chou nord-africaine

Christian Lohse mise sur les arômes.
C'est pourquoi, il cuisine essentiellement
les légumes biologiques.

Recette pour un ou deux jours.

Ingrédients

500 g de chou
1/2 branche de céleri
2 jeunes fenouils
4 navets
4 artichauts
4 grosses tomates
2 poivrons
1 botte de petits oignons
3 gousses d'ail
1 limette
1 cc de graines de fenouil
2 piments séchés
4 cs d'huile d'olive
Gros sel marin
2 l de bouillon de légume
1 cs de persil plat haché
1 cs de mélisse hachée
1 citron non traité
Poivre noir moulu

Préparation

1 Nettoyez et coupez menu le chou, le céleri, le fenouil et les navets. Effeuillez les artichauts et ôtez le foin. Coupez le fond en petits morceaux. Échaudez les tomates et ôtez-leur la peau. Videz les poivrons et coupez-les en petits morceaux. Nettoyez les oignons puis émincez-les. Épluchez les gousses d'ail, coupez-les en deux et ôtez la partie verte. Épluchez grossièrement la limette (avec la peau blanche) et coupez-la en dés.

2 Faites blondir les légumes, les graines de sésame et les piments dans 2 cs d'huile d'olive. Ajoutez du gros sel et les dés de limette. Mouillez de bouillon de légume et laissez mijoter pendant 20 minutes à feu moyen en couvrant.

3 Liez la soupe avec 2 cs d'huile d'olive. Ajoutez les herbes hachées puis arrêtez la cuisson.

4 Servez la soupe dans des assiettes à soupe préchauffées et saupoudrez de zeste de citron râpé, puis poivrez.

Les vertus des épices

➤ Le fenouil : les graines, semblables à celles du cumin, sont douces-amères et ont un peu le goût de l'anis. Moulues, elles dégagent un arôme plus intense. Le fenouil turc est le meilleur. Le fenouil calme l'estomac, et en décoction, il apaise la toux.

➤ Le piment (chili) est excellent pour le moral. La sensation forte sur la langue envoie un message au cerveau, ouah ! et le corps prépare déjà de quoi s'apaiser, c'est-à-dire une dose copieuse d'endorphines qui atténuent la douleur et favorisent la bonne humeur, laquelle fait mincir.

Christian Lohse
se trouve ici dans
les cuisines
du « Windmühle »
(Moulin à vent),
une terrine de soupe
au chou nord-africaine
sous le bras.

Frank Buchholz

26

Viva Italia ! Le chou est ici associé au basilic et au pecorino.

Frank Buchholz est sans doute la star de notre quartet de grands chefs cuisiniers. Il exprime son amour pour le métier lors de ses apparitions à la télévision allemande. Son but dans la vie : « le plaisir qui procure du plaisir ». Que pense-t-il du chou ? « C'est un légume en or pour un cuisinier. Il est simple et l'on peut le préparer facilement. Le chou est formidablement adapté à la créativité culinaire et permet d'obtenir d'excellents résultats sans trop se casser la tête. Il suffit d'expérimenter et d'essayer. Un bon chou ne nécessite pas mille et une manipulations avant de se retrouver dans l'assiette. S'il est issu de l'agriculture biologique, il n'est pas utile de l'assaisonner. On peut le faire rapidement blanchir ou bien revenir. Mais je le préfère en soupe, comme c'est le cas ici, avec du basilic. Ces deux aliments s'accordent merveilleusement bien. Par ailleurs, les bons cuisiniers ne sont pas gros, comme on le prétend souvent, tout simplement parce que leur alimentation est saine, de même que celle qu'ils proposent à leur clientèle ».

La soupe au chou au pecorino et basilic

Recette pour un ou deux jours.

Ingrédients

1 bouquet de basilic
50 ml d'huile d'olive
1 petit chou à feuilles lisses ou chou blanc
250 g de carottes
250 g de céleri
1 jeune fenouil
Sel et poivre du moulin
800 ml de fond de légume (acheté ou préparé soi-même)
80 g de yaourt
Le jus d'un citron
20 de pecorino (fromage italien)

Préparation

❶ Lavez le basilic, effeuillez-le et mélangez-le ensuite à 40 ml d'huile d'olive et une pincée de sel. Rafraîchissez ce mélange 10 minutes dans le compartiment congélation, puis mixez-le.

❷ Nettoyez et lavez le chou, les carottes, le céleri et le fenouil et coupez-les en longues lamelles. Faites revenir 1 cs d'huile d'olive dans un fait-tout et blondir les carottes, le céleri et le fenouil. Ajoutez le chou au dernier moment. Poivrez et salez généreusement et mouillez de fond de légume.

❸ Laissez bouillir la soupe brièvement, puis ôtez-la du feu et mélangez le yaourt. Assaisonnez de jus de citron, de sel et de poivre et laissez macérer encore 2 à 3 minutes sur la plaque éteinte de la cuisinière.

❹ Versez la soupe au chou dans des tasses ou dans une terrine. Émiettez dessus le pecorino et mélangez-le à la soupe. Saupoudrez de basilic et servez.

Les vertus des herbes

➤ Le basilic : ce condiment était déjà sacré au temps des Égyptiens. Il a aujourd'hui un statut bien particulier en médecine ayurvédique. Son arôme plein de fraîcheur vient couronner l'entrée de tomates-mozzarella ou bien apporte un plus au pesto de Gênes. Il accompagne également le poisson blanc. Associé au chou ou aux légumineuses, il évite les flatulences. Dégustez le basilic frais et cru, car une fois cuit, il perd en arôme. En plus de la variété que nous achetons sur les marchés et dans les magasins d'alimentation, il en existe 157 autres que l'on utilise essentiellement à des fins décoratives.

Frank Buchholz compte parmi les vedettes de l'art culinaire.

CONSEIL

Frank Buccholz, jeune cuisinier ambitieux, exerce ses talents dans le restaurant de ses parents, le « Meisterhaus » (maison des maîtres) à Unna, en Italie. Tél. : 00 39 2303 59 28 89. À l'art culinaire italien, il ajoute son propre savoir-faire, beaucoup d'imagination et le poids des traditions, nouvellement interprétées.

Le « Mariage des paysans » de Bruegel l'Ancien, vers 1568. À cette époque, le chou était très apprécié. Il n'est pas improbable qu'une bonne soupe au chou ait été servie à l'occasion des mariages.

28

Les larmes des dieux

Nous devons le chou de la soupe magique à de grosses larmes versées par Lycurgue, roi des Édoniens. Celui-ci eut en effet le malheur d'entrer en conflit avec Zeus, le père des dieux, qui, en retour, le frappa de cécité. Les larmes versées alors par Lycurgue donnèrent naissance au premier chou.

Les spécialistes de la botanique ne croient pas beaucoup à cette histoire de larmes. Pour eux, le chou a pris racine dans la mer ou dans les semences. Cette délicieuse pousse à feuilles qui n'a pourtant l'air de rien, est originaire d'Europe du Nord, et elle est cultivée depuis 4 000 ans. Plante vieille comme le monde, elle a donné naissance à plusieurs variétés et appartient à la grande famille des crucifères. Son nom latin est Brassica oleracea. Les Grecs et les Romains furent les premiers cultivateurs du chou. Plusieurs siècles après, celui-ci fut exporté au-delà des Alpes vers l'Allemagne où il fut mentionné pour la première fois au Moyen Âge. Après avoir trôné dans l'assiette des pauvres, il vint orner celle des bourgeois, pour l'amour de la Nouvelle Cuisine.

En Europe, ce sont les Allemands qui sont les plus gros consommateurs de chou blanc chaque année, avec 518 000 tonnes, ce qui représente 518 millions de choux.

Le chou au cœur des débats

Le chou est connu depuis 4 000 ans et depuis tout ce temps, les gastronomes se disputent perpétuellement à son propos et surtout à cause de sa fameuse odeur. Certains prétendent qu'on doit sortir cet aliment de la cuisine, tandis que d'autres affirment qu'il a sa place sur la table. Lucius Licinius Lucullus, gourmet qui n'avait pas son pareil et général romain réputé (117 à 57 av. J.-C.), prétendait qu'il fallait le bannir de la table des gens respectables.

Un petit saut rapide dans le temps, et nous nous retrouvons au Moyen Âge, période pendant laquelle les légumes et le chou en particulier, n'étaient pas vraiment à la mode. L'alimentation végétale n'avait pas bonne réputation auprès des médecins, tout simplement parce qu'elle n'apaisait pas la faim. Ils la considéraient donc comme peu nourrissante. Mais cela a bien changé depuis.

Du chou sur la planète Mars ?

Il fallut attendre le cuisinier de la cour du roi, le très fameux Taillevent, pour lancer la mode du chou au XIVe siècle. Il le servit comme plat principal à l'occasion d'un banquet. Nourrissant, universel, riche en arômes et en plus de tout cela, bon marché, le chou se retrouva bien vite dans l'assiette des plus humbles. Le paysan qui ne prenait que deux repas par jour, emportait dans les champs du pain aux oignons, et revenait le soir à la maison pour dévorer la bonne soupe au chou. La fermière, quand elle le pouvait, allongeait avec du lait la marmite de légumes riches en substances nutritives et en fibres.

Les grands voyageurs se retrouvent toujours pendant leur périple autour d'un bol de soupe au chou, notamment de bortsch russe. Le célèbre écrivain et poète russe, Alexandre Pouchkine, disait à propos de son peuple : « De la soupe au chou et de la bouillie, voilà ce que nous sommes ». Sur l'île de Majorque, on trouve également la « sopes mallorquines » à la carte, et il en est de même au Portugal, où elle porte le nom de « caldo verde ».

Jean Girault en a fait le thème principal de son film « La soupe aux choux » tourné en 1981 d'après le roman de René Fallet. Si vous vous en souvenez bien, deux paysans du Bourbonnais, Claude Ratinier et Francis Chérasse, rôles merveilleusement interprétés par les acteurs Louis de Funès et Jean Carmet, plantent du chou et préparent tous les soirs une soupe. Ce légume est à leurs yeux le meilleur qui soit. Leur passion dans la vie : manger et chercher la petite bête. En conséquence, ils souffrent de flatulences (cf. page 9). Tout ceci

Louis de Funès et son ami l'extraterrestre se régalent de délicieuse Soupe aux choux.

29

LA BOULE MÉDICINALE

Le chou blanc a très bon goût, même s'il s'agit là d'un étonnant concentré pharmacologique. Ses substances secondaires sont anticancérigènes.

▶ Les indoles bloquent dans notre corps les enzymes qui activent les tumeurs inhérentes aux hormones, comme le cancer du sein. Des études américaines ont démontré que ceux qui consomment du chou une fois par semaine font chuter d'un tiers le risque de cancer du gros intestin. Les grands amateurs de chou peuvent même réduire ce risque de moitié.

▶ Le chou protège le cœur. Ses composés soufrés font baisser la pression artérielle et diluent les caillots de sang : une bonne prévention contre l'infarctus.

▶ L'absorption quotidienne d'un litre de jus de chou blanc pendant 2 à 3 semaines peut guérir certains ulcères de l'estomac.

▶ Vous souffrez de douleurs articulaires, de maux de gorge et de piqûres d'insecte ? Le chou vous soignera. Les pansements de feuilles de chou font partie des recettes de grand-mère. On pétrit une feuille de chou à l'aide d'une bouteille jusqu'à ce que le jus soit expurgé des cellules. Il faut ensuite appliquer le cataplasme sur la piqûre ou l'articulation douloureuse et laisser agir au moins une heure.

Cette boule
de feuilles
est un véritable
concentré
de potion
magique
bénéfique
à l'être humain.
Elle est excellente
pour notre santé.

déclenche la curiosité d'un Martien, qui emporte la soupe au chou dans une gamelle et envoie dans l'espace des gaz monstrueux…

Une petite boule du tonnerre

Le chou est un porte-bonheur et une bonne prévention contre le cancer. Et si vous êtes à la recherche d'un entraîneur performant, vous êtes particulièrement bien tombé, car le chou a de multiples aptitudes. Il…

fait travailler l'intestin : ceux qui consomment de la soupe au chou, couvrent leurs besoins en fibres. Cinq assiettes par jour fournissent 30 grammes de fibres. Celles-ci purgent l'intestin, font baisser le taux de cholestérol et régulent la digestion. Le tout, sans prendre une calorie.

est comme de la dynamite : le chou fournit du zinc. Notre organisme en a besoin pour produire de la testostérone, hormone du dynamisme, de l'activité et de l'énergie. Cette hormone mâle donne également des ailes aux femmes, mais son taux chez elles est dix fois inférieur à celui des hommes.

est une source d'énergie : les feuilles de chou sont riches en manganèse, qui est un oligo-élément indispensable à la glande thyroïde. Sans manganèse, notre centrale énergétique ne peut plus produire les hormones qui activent notre métabolisme, et de ce fait la combustion des graisses.

est une exellente purge pour l'organisme : le chou contient du potassium en quantité importante. Ce minéral gère nos ressources en eau dans le sens de l'assainissement et de la minceur.

favorise notre forme et notre bien-être : le magnésium préside à notre énergie physique et mentale, au fonctionnement de nos nerfs et de nos muscles. Les carences en magnésium fatiguent et rendent mou. Ce minéral est l'un des plus efficaces si nous voulons nous affiner efficacement. Pourquoi ? parce que sans oxygène, nous ne pouvons brûler les graisses. Or le magnésium organise justement l'alimentation des cellules en oxygène. Le chou nous apporte également du fer, partenaire indispensable au bon fonctionnement général, car il transporte l'oxygène dans le sang.

est un porte bonheur : le chou fournit l'acide aminé que l'on appelle tryptophane. Celui-ci apaise les nerfs et active la formation de l'hormone du bonheur qui porte le nom de sérotonine. Le sélénium contenu dans le chou est excellent pour le psychisme.

est une boule glycémique : le chou n'intervient pas sur le sucre dans le sang. Ses molécules de sucre comptent parmi les bons glucides. Le chou a un taux glycémique assez réduit (cf. page 44), cela signifie que les glucides qu'il contient libèrent une quantité réduite d'insuline dans le sang.

est très pauvre en calories : un chou peut, d'après le livre Guiness des records, peser plus de 10 kg, mais il contient une piètre quantité de calories. Tout cela parce qu'il est constitué à 90 % d'eau.

est une boule de cristal : les études ont toutes prouvé qu'aucun régime ne peut être efficace sans calcium. C'est bien là l'un des secrets de la soupe magique qui en fournit en quantité amplement suffisante.

du chou

Et en bonus, il faut savoir que le calcium renforce les os.

est un poids plume : le chou ne contient pratiquement pas de graisse. Les petites quantités qu'il fournit sont essentiellement constituées d'acides gras insaturés, dont nous avons besoin au même titre que des vitamines. Ceux-ci font baisser le taux de cholestérol et nettoient les artères.

fait travailler notre cerveau : le chou fournit au cerveau et aux nerfs une portion convenable de vitamines B qui président au métabolisme des glucides. Le sucre (glucose) afflue continuellement vers le cerveau pour le maintenir en forme et apte à l'effort.

est une boule d'énergie : lors de l'absorption du chou, notre organisme bénéficie d'un apport en protéines végétales qui sont de véritables brûleuses de graisse. Mais pour transformer les protéines telles qu'elles sont dans l'assiette, en muscles, neurotransmetteurs, cellules immunitaires, etc. le corps doit produire de l'énergie. Pour cela, il se sert dans les dépôts adipeux. Processus idéal lors d'un régime amincissant !

est une pilule minceur : le chou fournit aux défenses immunitaires une bonne dose de vitamine C. Cette vitamine polyvalente ne se contente pas de protéger toutes les cellules, mais elle les investit également dans de nombreux processus de métabolisme des substances, notamment dans celui qui fait perdre du poids.

sert de protection aux cellules : le chou apporte à l'organisme toute une palette d'antioxydants, notamment le bêta carotène, des composés sulfu-

rés, de la vitamine C et du sélénium. Toutes ces substances sont aptes à protéger nos 70 milliards de cellules de l'action agressive de l'oxygène revenue « à l'état sauvage » (les radicaux libres).

CE QUE FOURNIT UNE PORTION DE CHOU (200 G)

Le chou est une pilule minceur naturelle. Il est avare en calories et généreux en substances bioactives qui accélèrent le métabolisme :

Calories	49
Protéines	2,6 g
Graisse	0,4 g
Glucides	8,4 g
Fibres	6,0 g
Sodium	26 mg
Potassium	416 mg
Calcium	98 mg
Phosphore	58 mg
Magnésium	46 mg
Fer	1 mg
Bêta carotène	140 µg *
Vitamine C	94 mg
Vitamine K	160 µg
Vitamine B1	0,1 mg
Vitamine B2	0,2 mg
Acide folique	160 µg
Vitamine B6	248 µg
Manganèse	200 µg
Sélénium	5,01 µg
Zinc	448 µg

* µg = microgramme

Source : Tableau des valeurs nutritives, Éditions Vigot

À la lecture de ce tableau, on a vraiment l'impression d'avoir affaire à un complément vitaminé, alors qu'il s'agit tout simplement du chou.

La grande famille du chou

32

Certains ne comptent généralement pas parmi les ingrédients traditionnels de la soupe au chou – et pourtant ils n'ont rien à envier à leurs frères et sœurs en matière d'arôme et d'apport en substances nutritives.

1 Le chou-fleur

C'est le plus élégant de la famille des choux. Plutôt pâle et complexe de structure, le chou-fleur ne pousse pas partout. Les Français et les Indiens sont les plus connaisseurs en matière de culture et de recettes. Dans d'autres pays amateurs de choux, il est souvent préparé en sauce béchamel un peu trop indigeste, ou bien cuit trop longtemps, de sorte qu'il se ramollit complètement.

Le chou-fleur apprécie les climats côtiers : les fortes brises chassent la rosée matinale empêchant les taches de moisissure de se former sur le légume. Il existe des choux-fleurs colorés : en Italie, il est violet, aux États-Unis il comporte des fleurs jaunes, et le romanesco, en forme de petites tours, fait également partie de la famille (un descendant). On récolte ces variétés toute l'année. Les rosettes nécessitent trois minutes de cuisson et le tro-

gnon un peu plus. Étant donné la finesse de sa structure, ce délicieux aliment ne reste pas longtemps sur l'estomac.

2 Le brocoli

Il s'agit là sans aucun doute de la vedette parmi les choux, et il est particulièrement apprécié en plat principal. L'Italie est le plus grand pays cultivateur de brocolis, dont le nom signifie « pousses de choux ». De là, il a entamé sa marche triomphale à travers tous les pays du monde. Du point de vue botanique, il est semblable au chou-fleur. Nous ne consommons pas les feuilles mais les fleurs vertes en bouquets. Le brocoli est bien supérieur à son frère pâle en ce qui concerne la teneur en substances nutritives. Il est riche en protéines végétales, en fer, et particulièrement généreux en vitamine A et C. Il séduit par son arôme délicat rappelant celui des asperges auxquelles on le compare souvent, mais pose tout de même un petit souci au moment de la cuisson : les tiges nécessitent deux fois plus de temps que les fleurs pour être à point. La solution consiste donc à plonger d'abord les tiges dans l'eau de cuisson.

3 Le chou chinois

Ce légume vieux comme le monde, appartenant à la grande dynastie des choux, est cultivé en Asie depuis le Ve siècle. Cette « dent du dragon blanc » orne la carte de nombreux restaurants chinois. Dans son pays d'origine, on l'apprécie – et particulièrement les détracteurs du chou – car il n'a pas l'arôme caractéristique de ses frères et ne provoque pas les fameux ballonnements. Il est dépourvu de trognon dur, mais rassemble ses longues feuilles à la manière d'une salade. Il a gagné de nombreux adeptes en Occident, d'une part du fait qu'il est possible de l'acheter et de le cuisiner toute l'année, d'autre part étant donné qu'il est très facile à digérer, sans oublier la simplicité avec laquelle on le cuisine : en salade ou bien deux minutes à l'étuvée.

4 Le chou vert

Il est originaire de l'est du pourtour méditerranéen, ce qui ne l'a apparemment pas empêché de gagner le statut de vedette ailleurs, et surtout dans les pays du Nord. Les feuilles du chou vert sont

5 CHOU-RAVE   **6** CHOU DE BRUXELLES   **7** CHOU ROUGE   **8** CHOU DE MILAN

frisées et oblongues. Elles constituent une véritable corne d'abondance pendant la période hivernale, car elles sont riches en protéines, calcium et fer en grande quantité, de même qu'en vitamine C et bêta carotène. Une cuisson prolongée fait perdre au chou vert sa vitamine C et sa belle apparence puisqu'il prend un ton marron. Il accompagne idéalement la viande et la charcuterie. Lorsqu'il est trop soutenu en goût, il est conseillé de le cuire à la vapeur quatre minutes supplémentaires ou bien brièvement à l'étuvée. Il conserve ainsi toutes ses vertus nourrissantes et son goût si particulier.

5 Le chou-rave

Ses origines sont un peu obscures, mais ce représentant de la famille des choux s'épanouit pleinement sous nos latitudes, et il est même particulièrement consommé dans les pays germanophones. Le nom qui lui a été donné ici a été repris ailleurs. L'Allemagne et l'Italie sont les principaux pays producteurs européens. Nous mangeons cette boule toute ronde et non les feuilles et les fleurs comme c'est le cas chez les autres choux. Elle se distingue par un arôme relativement doux de noix. Achetez le chou-rave quand son tubercule n'a pas encore atteint sa taille définitive de sorte qu'il ne soit pas filandreux. Épluchez-le et mangez-le cru ou bien faites-le cuire en morceaux, mais pas plus de cinq minutes.

6 Les choux de Bruxelles

Le plus jeune des choux est apparu, il y a environ 150 ans, dans les champs belges, d'où son nom. Les petites roses poussent sur des tiges boisées d'un mètre de longueur et sont coupées très jeunes. Les boutons illuminent les préparations de légume en automne et en hiver. Achetez les choux de Bruxelles lorsqu'ils sont bien verts, car ceux qui sont de couleur jaune traînent déjà sur les étalages depuis trop longtemps. Ils sont moins riches en substances nutritives et sont fades au goût. Pour les préparer, marquez d'une croix au couteau la base de chaque chou de sorte qu'ils cuisent tous au même rythme. Au bout de quinze à dix-huit minutes de cuisson dans l'eau bouillante, ils sont prêts à être dégustés.

7 Le chou rouge

Chou rouge ou chou bleu ? – c'est une bonne question. Mais il s'agit sans le moindre doute de la même variété de chou. On peut parler de chou rouge lorsqu'il diffère simplement du chou blanc par la couleur violine, substance qui, à l'instar de la vitamine C, désamorce les radicaux libres et prévient le cancer et le vieillissement. Lorsqu'il cuit, la couleur bleue du chou subsiste. C'est seulement dans un milieu acide, avec un peu de vinaigre par exemple, qu'elle tourne au rouge. Ce légume ne nécessite pas plus de deux à trois minutes de cuisson.

8 Le chou de Milan

Le chou de Milan est la troisième sorte de chou en ordre d'importance après les choux blanc et rouge. Dans la préparation, il ne diffère pas vraiment du premier. Seul son arôme est un peu moins soutenu mais plus épicé. Les feuilles extérieures cloquées, de couleur vert foncé, sont, à l'instar de celles du chou vert, de véritables trésors de substances nutritives. Faites-le cuire pendant deux à trois minutes.

34

manger jusqu'au mois de juin. Le chou pointu est une sorte de chou blanc à la forme pointue qui résulte de l'agriculture française. Il est plus tendre, son arôme est doux et il est plus facile à digérer. Avril et juin sont sans doute les mois les plus « creux » de l'année en matière de chou.

N'acceptez pas les vieux légumes abîmés

La qualité des choux laisse souvent à désirer. Étant donné sa forme et sa réputation quelque peu rustiques, le chou est parfois maltraité au moment de la récolte et du stockage. Les grands cuisiniers ne préparent que des choux frais, provenant du champ ou du jardin, parce que leur arôme est bien supérieur. Faites l'essai car cela vaut vraiment le coup ! Vous trouverez quelques conseils en matière de culture du chou en vous reportant à la page 40. En outre, l'arôme du chou frais récolté à l'automne est incomparable.

Faites attention lorsque vous faites vos courses : la surface du légume doit être lisse et brillante. Un beau vert clair élégant est un indice de jeunesse. Vous pouvez donc emporter le légume qui vous sourit sans hésiter. Un chou frais présente des feuilles croquantes. Si elles sont élastiques, il s'agit d'un Mathusalem. Prenez également garde aux odeurs avant d'acheter. Un chou qui a été entreposé trop longtemps dégage une odeur plus acide et rance. Qu'en est-il du goût ? Pour reprendre les termes du grand chef cuisinier Christian Lohse : « Un chou trop longtemps stocké a l'odeur d'une vieille paire de chaussettes d'hommes. Lorsqu'il est récolté le matin et préparé dans la foulée, notre boule ronde est croquante à souhait, fruitée, épicée et poivrée ».

Ce qu'il y a de particulièrement pratique avec le chou, c'est que nous pouvons en acheter tout au long de l'année, car il pousse à toutes les saisons. Mais attention de ne pas vous saisir d'un chou déjà trop vieux.

Les saisons du chou

On trouve certains types de choux entre avril et juin dans les rayons de légumes, du chou blanc précoce de juin à septembre et du chou blanc automnal de septembre à décembre. Le chou blanc permanent est récolté en novembre et peut être stocké dans des meules, des granges ou dans des garde-

À la cuisine, soyez tendre avec lui

1 Prenez soin d'ôter d'abord les feuilles abîmées ou vieillies, mais pas trop généreusement, car les feuilles extérieures sont celles qui contiennent le plus de substances nutritives.

2 Coupez le chou en deux, puis en quartiers, ôtez le trognon et découpez ensuite les feuilles grossièrement.

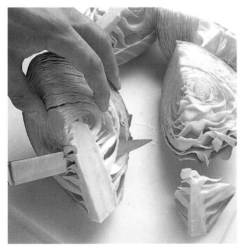

Coupez le chou blanc en deux,
en quartiers, puis ôtez le trognon.

3 Déposez ensuite les morceaux dans un tamis et passez-les brièvement sous une eau claire abondante.

Lorsqu'elle n'est pas issue de l'agriculture biologique, notre boule ronde est généralement abondamment arrosée de pesticides. Un bon lavage permet également d'éloigner de l'assiette, les insectes et autres bestioles aventureuses. Leur présence n'est pas négative (à condition de bien laver le légume avant la cuisson), car elle indique que le chou est frais et non traité.

Si vous voulez être sûr qu'aucun parasite ne viendra plus troubler les belles feuilles vertes, plongez-les trois minutes dans un bain d'eau froide et salée.

Comment le conserver ?

Si vous n'avez pas besoin du chou dans sa totalité, recouvrez la partie coupée sous un torchon propre et humide puis entreposez-la dans le bac à légumes du réfrigérateur jusqu'à sa prochaine utilisation.

Pour bien le digérer

Autrefois, le chou était cuisiné avec une quantité trop importante de matière grasse. Or la graisse le rend parfaitement indigeste. De plus, il conserve meilleur arôme lorsqu'on le traite « légèrement » : il suffit de le blanchir ou de le cuire à la vapeur. Ajoutez un peu d'huile d'olive et le tour est joué.

Une cuisson ultrarapide

Peu de gens savent que le chou s'épanouit à la cuisson, tout au moins en matière de substances nutritives. La vitamine C existe dans les feuilles, mais elle est enrobée. La cuisson ne détruit pas la protection de la vitamine, mais la libère ou plus exactement la réveille. Nous n'avons pas pour autant carte blanche en matière de cuisson, car deux minutes suffisent au chou blanc. Si le légume reste plus de vingt minutes dans l'eau bouillonnante, les précurseurs des vitamines ne survivent pas. Il en va de même lorsque vous réchauffez le plat, car même brièvement, cela nuit aux substances nutritives.

35

CONSEIL

L'ODEUR DU CHOU

Si l'odeur du chou vous gêne au point de ne pouvoir en manger, alors ajoutez un peu de vinaigre à l'eau de cuisson. Celui-ci neutralise les molécules odorantes les plus fortes, que l'on doit aux composés sulfurés du légume rond.

Le chou est un grand voyageur que l'on retrouve dans les marmites du monde entier, à Majorque, au Portugal, en Russie, dans la cuisine créole de Louisiane et des Caraïbes. Voici cinq recettes délicieuses issues des quatre coins du monde. À vous de faire votre choix selon le régime que vous suivez.

En Russie

Le bortsch

Ingrédients pour 6 personnes

2 l de bouillon de canard (ou bien de bouillon de bœuf)
500 g de betterave rouge
1 cs de jus de citron, 1 cs de vin rouge ou de vinaigre balsamique
10 g d'oignons
1 carotte
1 branche de céleri
200 g de chou blanc
2 grosses gousses d'ail
2 cs d'huile
Sel, poivre, poivre de Cayenne
2 bouquets d'aneth
350 g de crème fraîche

Préparation

1 Dégraissez convenablement le bouillon de légume cuit.

2 Épluchez la betterave rouge. Versez-en les deux tiers dans la centrifugeuse pour en extraire le jus. Ajoutez le jus de citron et le vinaigre et laissez de côté. Découpez le restant de betterave en longues lamelles ou bien râpez-le.

Le bortsch est le plat national des Russes et des Ukrainiens.

❸ Épluchez les oignons puis émincez-les. Lavez la carotte, le céleri et le chou blanc, nettoyez-les et coupez-les en lamelles. Épluchez l'ail et coupez-le menu.

❹ Faites chauffer l'huile dans une marmite, versez les légumes et laissez-les cuire doucement à l'étuvée en ajoutant éventuellement quelques cuillerées de bouillon. Salez et poivrez généreusement puis relevez avec le poivre de Cayenne.

❺ Lorsque les légumes sont presque cuits, versez le restant de bouillon et laissez mijoter quelques minutes. Retirez du feu et arrosez de jus de betterave. Ne prolongez la cuisson en aucun cas et servez la soupe immédiatement.

❻ Hachez l'aneth et servez-le en même temps que la crème fraîche avec la soupe.

Ceux qui le souhaitent peuvent également ajouter à la soupe du blanc canard qui vient d'être cuit.

Aux Baléares

Sopes mallorquines
La soupe au chou de Majorque

Ingrédients pour 4 personnes

La moitié d'un chou blanc ou bien
d'un chou de Milan
1/2 chou-fleur
2 jeunes artichauts
250 g d'asperges
250 g de haricots verts
2 tomates
1 oignon
2 gousses d'ail

125 ml d'huile d'olive
Sel
Poivre
1/2 cc de poudre de paprika relevé
1/2 cc de poudre de paprika doux
2 cs de persil haché
250 g de pain blanc rassis de la veille
en fines tranches

Préparation

❶ Lavez et nettoyez les légumes. Coupez le chou blanc ou le chou de Milan en larges lamelles, ôtez les rosettes du chou-fleur et coupez les artichauts en quartiers dans la longueur. Coupez les asperges et les haricots verts en petits morceaux. Échaudez les tomates, trempez-les dans l'eau froide, ôtez-leur la peau et coupez-les en petits morceaux. Épluchez l'ail et hachez-le menu.

Les restaurants de Majorque ont toujours au menu la fameuse « sopes mallorquines ».

37

❷ Faites chauffer l'huile d'olive dans une casserole et blondir ail et oignon. Ajoutez les légumes et faites-les rapidement revenir puis versez un litre d'eau. Assaisonnez de sel, poivre, poudre de paprika et persil. Mettez à cuire le tout en couvrant, pendant 20 minutes.

❸ Déposez les tranches de pain dans une casserole en terre cuite. Disposez les légumes à l'aide d'une écumoire et versez le bouillon. Laissez mijoter 5 minutes dans un four préchauffé, de sorte que le pain puisse absorber le liquide. Puis servez sous cette forme.

Au Portugal

Caldo verde

La soupe verte

Ingrédients pour 4 personnes

1 kg de pommes de terre
2 gousses d'ail
1 l 1/2 de bouillon de volaille
1/2 chou de Milan (environ 500 g)
Sel et poivre noir
4-6 cs d'huile d'olive
3 branches de coriandre fraîche

Préparation

❶ Épluchez les pommes de terre et coupez-les en morceaux. Épluchez les gousses d'ail et hachez-les. Versez le tout dans un grand fait-tout en ajoutant le bouillon. Laissez cuire à feu doux pendant 15 à 20 minutes de sorte que les pommes de terre soient tendres.

❷ Lavez le chou de Milan, coupez-le en 4 et ôtez le trognon. Coupez les quartiers en lamelles très fines.

❸ Écrasez les pommes de terre et l'ail dans le fait-tout ou bien mixez-les. Ajoutez les lamelles de chou puis remettez à cuire et laissez mijoter 5 minutes environ. Assaisonnez de sel et de poivre à discrétion.

❹ Retirez la soupe du feu et ajoutez l'huile d'olive. Lavez la coriandre puis séchez-la, ôtez les feuilles, hachez-les et saupoudrez sur la soupe.

38

CONSEIL

CHOU ET CHOU

Pour leur soupe verte, les Portugais cuisinent un chou que l'on ne trouve pas chez nous. Le goût du chou de Milan est proche, mais vous pouvez également préparer la « caldo verde » avec du chou vert.

Le secret de la « caldo verde » consiste à couper très finement les feuilles vertes du chou.

Aux îles créoles

Marmite de soulfood
au chou

Ingrédient pour 4 personnes

1 poulet rôti (1 kg environ)
2 cs de jus de limette
1 cs de vinaigre de vin blanc
1 cs de sauce Worcester
1/4 de cs de thym
Sel et poivre noir
1 gousse d'ail
1 petit oignon
2 cs d'huile
2 cs de Ketchup
1/4 l de bouillon de volaille
300 g de chou blanc
2 tomates
1 branche de céleri

Préparation

❶ Découpez le poulet en morceaux. Lavez-les et tamponnez-les bien. Pour la marinade : mélangez dans un grand bol le jus de limette, le vinaigre, la sauce Worcester, le thym, le sel et le poivre. Épluchez la gousse d'ail et coupez-la menu. Lavez l'oignon et nettoyez-le puis émincez-le. Ajoutez l'ail et l'oignon à la marinade, puis roulez les morceaux de poulet dedans et laissez au réfrigérateur toute la nuit dans un plat couvert.

❷ Le lendemain, faites bien revenir l'huile dans une grande cocotte. Ôtez les morceaux de poulet de la marinade, égouttez-les et versez-les dans l'huile chaude pour les faire revenir en les retournant pendant 10 minutes. Puis sortez-les de la cocotte.

❸ Versez dans une marmite, marinade, Ketchup et bouillon, puis mélangez. Déposez les morceaux de poulet et mettez le tout à cuire. Laissez mijoter pendant 30 minutes à feu doux en couvrant. Remuez de temps à autre.

❹ Lavez le chou, frottez-le et coupez-le en très fines lamelles. Lavez les tomates, évidez-les et coupez-les en huit. Lavez bien le céleri puis émincez-le.

❺ Dans la marmite, ajoutez les tomates et le céleri à la viande puis laissez cuire le tout à l'étuvée pendant 15 à 20 minutes. Garnissez de tranches de limette et saupoudrez de céleri haché.

La soulfood est un régal
pour le palais
et un bonheur
pour l'âme.

Dans les champs, le chou se nourrit de l'énergie du soleil et de la force de la terre avant d'atterrir dans notre assiette.

Rien de meilleur et de plus satisfaisant que de manger les légumes que l'on cultive soi-même dans son jardin ou sur son balcon. Pourquoi ne pas vous lancer dans la culture du chou ? Les indications de Karin Walz vous permettront de mener à bien cette entreprise.

Un enfant du soleil

Le chou blanc a besoin de beaucoup de soleil et de chaleur. Il faut donc lui réserver un endroit ensoleillé de préférence, que ce soit dans votre jardin ou sur votre terrasse. Étant donné la voracité de ce légume et son goût affirmé pour les substances nutritives et l'eau, il est recommandé de le planter dans une terre lourde, glaiseuse, calcaire, qui retient bien l'eau. On peut se la procurer dans une jardinerie à condition de ne pas l'acheter en sac conditionné, car celle-ci est insuffisamment glaiseuse et permet tout au plus aux géraniums de fleurir.

Si vous souhaitez planter vous-même vos choux et récolter la ration hebdomadaire nécessaire à la préparation de notre fameuse soupe magique, il est préférable que vous habitiez une région pluvieuse dont le taux d'humidité est important, pour que vos choux atteignent une taille enviable. Mais attention, vos chers petits ne doivent en aucun cas être plantés à l'ombre.

Du chou précoce au chou tardif

Il existe deux variétés de chou, le précoce et le tardif. Le chou blanc précoce doit être cuisiné immédiatement après la récolte, alors que le chou blanc tardif doit être entreposé plusieurs semaines dans la cave avant sa consommation.

Avis aux amateurs : les variétés précoces s'épanouissent volontiers sur un sol léger, et les variétés tardives

sur les sols généralement plus lourds. Demandez dans une jardinerie ou bien à un spécialiste près de chez vous d'évaluer la terre de votre jardin.

Le chou précoce pousse rapidement. On peut le récolter 60 à 70 jours après le semis, soit entre la fin du mois de mai et le courant du mois d'août. Ce n'est pas le cas du chou tardif qui nécessite 140 à 150 jours avant de pouvoir être entreposé, et que vous pouvez récolter à partir de la fin du mois de septembre.

À la mode, à la mode...

➤ Le parterre de choux a besoin, à l'automne, d'un fertilisant constitué de compost et d'engrais organique.

➤ Semez le chou précoce en février dans un cageot que vous disposez sur le rebord d'une fenêtre, dans une pièce chaude ou sous une petite serre. Aussitôt que les pousses ont germé et se sont convenablement développées, repiquez-les dans un pot de 6 cm de diamètre. Vous pouvez

LE CHOU EN POT

Toutes les variétés de chou ne sont pas aptes à être cultivées en pot. Le chou blanc aux feuilles pointues est parfaitement adapté à un pot de 40 cm de profondeur. Les grands jardins permettent de cultiver tant les variétés précoces que tardives, alors que les petites surfaces se prêtent uniquement au chou précoce.

entreprendre la plantation des pousses dans un parterre 40 à 50 jours après le semis, soit à partir de la fin mars.

L'espace entre chaque pousse doit être de 40 x 40 cm. Vous pouvez recouvrir la plantation d'une bâche adaptée qui la protégera des températures fraîches et vous permettra de récolter les choux plus tôt.

Vous pouvez semer le chou tardif en mars ou en avril dans le parterre, ou bien à partir du mois de mai au grand air. Dès que les pousses atteignent une hauteur de 10 à 15 cm – approximativement entre juin et juillet – repiquez-les dans un parterre en respectant un espacement de 50 x 50 cm. Si celui-ci est inférieur, vous ne récolterez que des choux de petite taille.

➤ Les jeunes pousses plantées dans un sol profond avec un bon espacement (ou bien celles que vous achetez sur le marché ou dans une jardinerie) ont des racines qui peuvent descendre jusqu'à 150 cm de profondeur dans la terre. Chaulez le trou afin d'éviter au légume les maladies classiques de son espèce. Plantez les pousses plus profondément dans la terre qu'elles ne l'étaient dans les pots. Cela leur permet de multiplier les racines chargées d'apporter un supplément alimentaire.

➤ Vous pouvez combler les espaces très importants, au début, avec des pois, du céleri, de la salade, des épinards ou des tomates, mais surtout pas de plantes crucifères comme le radis blanc, le radis, le chou-rave, le chou-fleur, le chou de Bruxelles et le brocoli, dont le voisinage est généralement nocif.

Nourrissez les petites plantes

➤ L'arrosage est le soin le plus important que vous puissiez leur apporter.

➤ Ameublissez le sol régulièrement à la binette. Cela favorise la pousse du chou. Dès que les légumes se forment, pensez à les butter le matin lorsque le temps est humide afin de bien protéger les racines.

Une bonne manière de maintenir l'humidité du sol consiste à couvrir d'herbe la surface du parterre. Cette méthode est particulièrement adaptée aux sols légers et sablonneux.

➤ Fertilisez le sol. Le chou est un gros consommateur qui soutire à la terre une grande quantité de substances nutritives. Il a donc besoin de deux à trois apports de fertilisants fluides au fil de sa croissance : une première fois quatre semaines après la plantation et impérativement une autre fois au moment de la formation des choux.

➤ Il est fortement déconseillé de cultiver du chou à la suite de plantation de légumes crucifères comme le radis blanc, les radis, le chou-rave, les choux de Bruxelles, le chou-fleur et le brocoli, susceptibles d'apporter des maladies.

Vous pouvez maintenant récolter vos choux

➤ Vous pouvez récolter dès que les têtes des choux sont bien compactes et que les feuilles qui servent d'enveloppe s'enlèvent.

➤ Les variétés précoces ne se conservent pas et doivent être consommées rapidement : il suffit de couper le chou de son trognon avec un couteau pointu et d'ôter les feuilles qui servent d'enveloppe.

➤ Les variétés tardives peuvent être récoltées à partir de la fin octobre et rester en terre jusqu'à l'annonce du gel. Les spécialistes enterrent le chou, tête en bas, dans du sable humide.

Le chou en pot décore également les balcons.

41

En route pour la semaine magique

> Vous êtes prêt à vous lancer ? Alors choisissez une recette de soupe au chou pour les deux premiers jours, faites la liste de ce dont vous avez besoin, procurez-vous les ingrédients, attrapez la cuillère et préparez-vous une grande marmite de soupe magique. Mais avant de vous lancer dans cette aventure, prenez le temps de lire les pages suivantes de sorte que la formule magique opère pleinement.

La formule est simple et particulièrement efficace. Certains aliments ont un indice glycémique (GLYX) élevé : ceci est l'abréviation d'indice glycémique, qui nous sert en quelques sortes d'indicateur pour garder la ligne. Les pommes de terre, le sucre et la farine blanche comptent parmi les aliments dont l'indice glycémique est élevé. Ceux dont l'indice glycémique est, en revanche, bas sont les produits complets, la plupart des fruits et légumes et les produits laitiers (cf. tableau page 45). Si vous mangez uniquement des aliments dont le GLYX est élevé, ceux-ci enverront une armée d'hormones insuline dans le sang, chargées de prélever rapidement le sucre des cellules. Le taux de sucre dans le sang chute donc. Vous devenez nerveux, agité et votre cerveau réclame avec véhémence un apport en sucre.

Sous le charme du sucre

Vous ne pouvez y échapper. Le cerveau vous oblige à manger de nouveau. Un hot-dog, une barre chocolatée… et rapidement votre pancréas prend peur et envoie une nouvelle fois de l'insuline dans le sang. Cela fonctionne ainsi toute la journée. Aussi longtemps que l'insuline règne en maître, les hormones minceur comme le glucagon n'ont aucune chance. Le glucagon ne parvient à provoquer la combustion des graisses qu'au moment ou le taux d'insuline est bas.

➤ Le régime à base de soupe au chou vous permet de sortir du cercle vicieux « sucre – insuline – taux bas de sucre dans le sang – faim de loup », car il maintient toute la journée un niveau d'insuline peu élevé. Le glucagon peut enfin agir, et les kilos fondent.

44

Difficile à croire et pourtant vrai : le pain blanc nous « gave » davantage que le sucre car son indice glycémique est supérieur.

Mince longtemps grâce au GLYX

C'est la formule magique essentielle qu'il vous faut absolument intégrer si vous souhaitez modifier votre vie alimentaire. Le GLYX préside en quelques sortes à votre destinée et dicte votre tour de taille. Notez cela dans un coin de votre tête : un indice glycémique élevé déclenche l'insuline, et le glucagon est alors dans l'incapacité d'œuvrer.

Ce que vous récoltez

Si à l'avenir, vous décidez d'absorber essentiellement des aliments dont le GLYX est inférieur à 50, vous resterez mince. Ces aliments vous sont indiqués dans le tableau ci-contre. Vous avez beaucoup à y gagner, car les études prouvent que :
➤ ces aliments ne déclenchent pas l'insuline
➤ le taux de glucagon dans le sang est plus élevé
➤ vous n'êtes plus victime de boulimie
➤ vous êtes plus longtemps rassasié
➤ vous mangez moins de graisse
➤ vous brûlez plus de graisse
➤ et le cœur en profite également, car un GLYX élevé augmente le risque de maladies cardiovasculaires.

Attention aux combinaisons de graisse et de GLYX élevé

Vous ne devez pas pour autant vous priver complètement d'aliments dont l'indice glycémique est supérieur à 50. Ce serait bien dommage de ne plus pouvoir déguster de melon et de carottes cuites ! Il vous suffit simplement d'en consommer plus rarement et de préférence l'après-midi. Les études montrent que le repas qui suit une collation dont le GLYX est élevé est plus riche en calories. Le corps exige plus d'énergie. En outre,

ique bas

il est recommandé de ne pas combiner les aliments dont le GLYX est supérieur à 50 avec de la graisse. Dans ce cas, la graisse en profite et vient s'amasser sur les hanches.

➤ Les plats prêts à consommer sont souvent victimes de cette combinaison graisse plus sucre. Faites en sorte qu'ils figurent le moins souvent possible à vos menus.

➤ Lorsque vous consommez des aliments dont le GLYX est élevé, arrangez-vous pour les combiner avec des aliments dont l'indice glycémique est bas. Mangez du pain avec une salade verte et des tomates, par exemple, ou bien un morceau de chocolat avec une pomme.

➤ Le pain complet a un GLYX peu élevé lorsqu'il est préparé avec du blé et une pâte au levain. Le GLYX du pain préparé à base de farine complète est légèrement supérieur.

➤ Les amateurs de pâtes peuvent se réjouir car le GLYX des nouilles est bas.

➤ La viande, la volaille, le poisson, le lait et les produits laitiers ne contribuent pas à l'augmentation du taux de sucre dans le sang (GLYX bas).

➤ Mais méfiez-vous des yaourts sucrés qui sortent de l'usine. Leur GLYX est souvent élevé.

➤ Préférez le fructose pour sucrer (GLYX bas).

LES ALIMENTS DONT LE GLYX EST ÉLEVÉ

Pain : très blanc 95, bretzel 85, seigle 76, baguette 70, croissant 70

Boissons : bière 110, boissons des sportifs 78, Coca-cola et limonade 70

Fruits, légumes, légumineuses : dattes séchées 103, carottes cuites 85, fèves cuites 80, potiron 75, pastèque 75

Sucreries : glucose 100, gommes fruitées 80, sucre (saccharose) 70, chocolat et barre chocolatée 70, biscuits 70

Céréales : riz à cuisson rapide 85, riz soufflé 85, corn flakes 85, riz blanc (rond) 72, müesli avec ajout de sucre 70, chips de maïs 70

Féculents : pommes de terre sautées 95, pommes frites 75, purée de pommes de terre 70, pommes de terre salées 70

LES ALIMENTS DONT LE GLYX EST MOYEN

Pain : pain de froment (farine complète) 69, pain bis 65

Fruits, légumes, légumineuses : raisins secs 65, betterave rouge 65, ananas 65, banane mûre et melon 60, abricot 57, maïs et pop-corn 55, kiwi, mangue et papaye 55

Sucreries : confiture 65, miel 59, sablés 55

Céréales : couscous 65, riz long grain 60, semoule blanche 55, riz brun 55

Féculents : pommes de terre en robe de chambre 62, spaghettis blancs cuits doucement 55

LES ALIMENTS DONT LE GLYX EST BAS

Pain : pain noir 51, pain de son 50, pain de seigle pâte au levain 48

Boissons : jus d'orange 46, jus de pomme 40, jus de fruit frais sans sucre 40, lait de soja 31, cidre 20, jus de légume 15

Fruits, légumes, légumineuses : petits pois en boite 50, patates douces 50, raisin 45, pêche 42, pomme 38, prune 39, poire 38, haricots rouges 40, figue et abricot sec 35, autres fruits frais 30-40, carottes crues 30, haricot sec 30, lentilles brunes et jaunes 30, pois chiches 30, haricots verts 30, pamplemousse 25, cerises 22, lentilles vertes 22, soja et cacahuètes 15, champignons 15, la plupart des légumes < 15

Sucreries : chocolat amer (plus de 70 % de cacao) 22, fructose 20

Céréales : all bran 51, flocons d'avoine 40, pâtes complètes et pasta (al dente) 40, müesli complet sans sucre 40, riz sauvage 35, quinoa 35, orge 22

Autres : produits laitiers 30, glace aux alginates 40

LE STRESS FAIT GROSSIR

Le stress et l'une des causes les plus importantes de prise de poids. L'hormone du stress, que l'on appelle la cortisone, ouvre l'appétit et l'on a tendance alors à se jeter sur les sucreries. Les barres chocolatées freinent le déferlement d'autres hormones du stress, mais pour un court moment seulement, avant de nous donner l'envie de dévorer le paquet de gâteaux. Éliminez votre stress par la respiration : c'est bon pour la ligne.

46

La respiration peut faire mincir. Dans les petits fourneaux de nos cellules que l'on appelle les mitochondries, une flamme s'allume qui brûle les graisses à condition que l'oxygène arrive en quantité suffisante (cf. page 10). Cela se produit rarement, parce que nous sommes souvent assis et que nous bloquons nos poumons. Nous respirons mollement, uniquement par la cage thoracique et non par le ventre et nous le constatons aux mouvements de notre thorax. Au lieu d'envoyer, à l'instar des sportifs professionnels, huit litres d'air par respiration destinés à attiser le feu de nos cellules, nous nous contentons de leur en insuffler deux malheureux petits litres. Essayez donc de modifier vos habitudes en ayant conscience que votre respiration peut faire le bonheur de votre corps.

Votre organisme est furieux

Au lieu de se servir dans les graisses, notre organisme consume essentiellement des glucides, générant des toxines et se met à produire des dépôts d'acidité (cf. interview page 15). Le corps fait alors de la rétention d'eau pour neutraliser les poisons, tandis que la graisse siège tranquillement sur nos hanches. Pensez donc à allumer la flamme à l'intérieur de vos cellules. Pour cela, il vous suffit de respirer. Respirez profondément par le ventre. C'est ainsi que vous purgerez votre organisme de ses toxines et que vous ferez fondre les kilos. Et en prime, vous vous en sentirez beaucoup plus détendu.

L'exercice de respiration complexe

➤ Le test : Posez d'abord votre main sur le ventre. Puis commencez à inspirer profondément jusqu'à l'intérieur de votre bassin. Sentez comme votre ventre se remplit et se gonfle d'air et percevez le bonheur que vous offrez à votre corps.

➤ Le rythme : Inspirez profondément de sorte que tout votre corps se sente pénétré de cette bouffée d'air, puis expirez doucement jusqu'à ce que le ventre et la cage thoracique se vident complètement. Respirez de la sorte quatre fois d'affilée en faisant participer tout votre corps depuis les épaules jusqu'au bassin en passant par la colonne vertébrale (cf. ci-dessous).

➤ La fréquence : renouvelez l'exercice trois à quatre fois par jour, de préférence avec la fenêtre ouverte. Commencez le matin. Encore une précision : dans les moments où vous êtes stressé, n'oubliez surtout pas de faire cet exercice, car ce procédé est excellent pour évacuer le stress, et nous sommes tous bien placés pour le savoir : rien de pire que le stress pour accumuler les kilos superflus.

L'objectif de cet exercice

➤ La respiration complexe vise à explorer et activer tous les recoins de nos poumons afin d'envoyer une plus grande quantité d'oxygène dans le sang.

① Posez la main droite sur l'épaule gauche et orientez votre regard dans cette direction. Inspirez profondément dans le bras gauche puis expirez. Respirez de la sorte quatre fois, ou bien autant de fois que vous le souhaitez pour vous habituer. Vous vous mettrez ainsi à penser automatiquement : « on inspire dans le ballon pour le remplir complètement, puis on le vide ». Vous constatez alors que vous parvenez à maîtriser votre respiration lorsque vous vous concentrez sur cette opération.

2 Procédez de la même façon avec l'épaule droite sur laquelle vous posez la main gauche en regardant dans cette direction. Inspirez profondément de sorte que vous sentiez l'air passer dans vos poumons. La main et le regard jouent un rôle important dans la concentration. Vous pouvez bouger un peu l'épaule afin de laisser l'air circuler plus librement. La quatrième fois, inspirez, faites une rétention pleine quelques secondes, puis expirez avant de faire une rétention vide. Et cela le plus profondément possible.

3 Respirez ensuite profondément par le diaphragme ou plus simplement dit : par le ventre. Posez les deux mains sur le ventre juste au-dessous du nombril. Inspirez maintenant profondément de sorte que votre ventre soit bien rond et tendu. Puis expirez l'air par à coup comme si vous haletiez jusqu'à évacuer complètement l'air qui est en vous. Inspirez et expirez quatre fois bien profondément.

4 Vous respirez maintenant dans votre buste à la hauteur du point situé à mi-chemin entre le plexus solaire et la gorge. Placez vos doigts à cet endroit et aspirez de l'air. Vous sentez que votre cage thoracique se bombe pleinement. Vous pouvez faire calmement quatre inspirations.

5 Encore quelques sensations muscles-respiration. Posez vos mains sur les hanches, les pouces à l'avant (cf. illustration). Inspirez simultanément par les deux côtés du corps. Cet exercice n'est pas si simple à faire et vous comprenez maintenant mieux son appellation de respiration « complexe ». Aussitôt que les poumons s'ouvrent largement, le ventre se cabre et prend sa véritable dimension, comme si vous n'aviez plus besoin de colonne vertébrale et que vous flottiez, semblable à un ballon.

6 Si vous le souhaitez, vous pouvez encore percevoir cette sensation en respirant par la colonne vertébrale, et précisément par le point situé entre les omoplates. Recommencez quatre fois de la sorte et vous rayonnerez de calme et de confiance en vous. Vous pouvez procéder partout et à tout moment à la réalisation de ces exercices (ou partie d'entre eux) de respiration complexe.

> Pratiquez la respiration complexe pour une meilleure tenue, une combustion des graisses optimale et une belle confiance en vous.

47

1 3 4 5

Divisez les graisses par deux

Nous absorbons 142 grammes de graisse par jour en moyenne, soit 1 300 calories. Ceux qui sont beaucoup assis pendant la journée, de même que les travailleurs intellectuels, ne supportent pas plus de la moitié de ces quantités. Une plaquette de beurre a disparu en trois jours et demi, ce qui représente 250 grammes de graisse qui viennent arrondir la bedaine. Cette semaine, en buvant votre soupe magique, vous faites l'économie d'une belle quantité de graisse. Autant qui ne vous nuira pas. Votre corps n'a pas besoin de graisse animale, exception faite de celle du poisson. Seule la graisse végétale vous est indispensable autant que les vitamines. Sans elle, il vous est paradoxalement impossible de produire des hormones minceur. Nous ne pouvons continuer à nous alimenter uniquement de graisse. Trop, c'est trop. Si vous voulez à l'avenir faire l'économie de graisse animale et vous tourner pour l'essentiel des 70 grammes quotidiens autorisés vers les graisses végétales, les kilos que vous avez perdus lentement ne reviendront plus. Pour la cuisson, utilisez de préférence de l'huile végétale de qualité, obtenue par première pression à froid (huile d'olive). Choisissez parmi les alternatives maigres figurant sur le grand tableau ci-contre les aliments que vous pourrez manger sans problème après votre régime. Ne vous laissez pas séduire par tous les pièges à graisse. Et si vous deviez en être victime de temps à autre, alors arrangez-vous pour ne pas les associer à des aliments dont l'indice glycémique est élevé. Vous trouverez quelques astuces magiques à la page 109.

Les huiles végétales ne sont ni plus ni moins qu'un délicieux accompagnement médicinal.

48

CHOISISSEZ LES ÉLÉMENTS LÉGERS

Pièges à graisses	Alternatives maigres
Viande, volaille et charcuterie	
Petites saucisses 24*	Jambon fumé
Pâté de porc 29	sans couenne 3
Saucisson pur porc 28	Saucisse de volaille 5
Saucisse fumée à l'ail 16	Corned-beef 6
Pâté de foie, gras 29	Filet ou escalope de porc 2
Saucisse au jambon 11	Rosbif 5
Saucisse grillée 29	Filet de bœuf 4
Pâté de foie maigre 21	Foie de bœuf 2,1
Saucisse de porc	Filet de veau 1
ou de bœuf 37	Escalope de veau 2
Boudin blanc 27	Blanc de dinde 1
Salami 33	Blanc de poulet sans peau 1,
Jambon cuit 13	Lapin 3
Lard maigre 65	Râble de chevreuil 4
Poitrine de porc 21	Babeurre 0,5
Côtelette de porc 8	
Bœuf haché 14	
Collier de bœuf 8	
Canard 17	
Oie 31	
Soupe de poulet 20	
Gigot d'agneau 18	
Côtelette d'agneau 32	

Produits laitiers	
	Lait écrémé 2
Beurre 83	Kéfir 3,5
Crème fouettée 31,7	Yaourt maigre 0,1
Crème fraîche 40	Lait concentré écrémé 0,2
Glace 20	Petit-lait 0,2
Fromage frais (60 %) 23	Faisselle 2,9
Mascarpone 47,5	Fromage blanc (10 %) 2
Bleu, Cambozola (70 %) 40	Fromage blanc maigre 0,3

des graisses

Toutes les indications en gramme se rapportent à 100 grammes d'aliment.

Pièges à graisses	Alternatives maigres
Produits laitiers (suite)	Romadour (20 %) 9
Camembert (60 %) 33	*Tous les fromages à moins*
Gruyère (45 %) 32,3	*de 30 %*
Appenzell (50 %) 31,6	MGRomadour (30 %) 14
Emmental (45 %) 30	Edam (30 %) 28
Fromage des montagnes	Limburg (20 %) 9
(45 %) 30	Parmesan (32 %) 25
	Fromage de chèvre (45 %) 21
	Fromage de Tilsit (30 %) 16
	Feta (40 %) 16
Pâtisseries et gourmandises	
Gâteau aux noix 29	Pain russe 0
Tarte à la crème 25	Gaufrette servie
Tablette de chocolat 33,5	avec la glace 5
Pâte feuilletée 25	Biscuits
Muesli au chocolat 11,5	à la cuillère 5
Pommes de terre chips 39,4	Gâteau
Pommes frites 14,5	aux pommes 3
Tortillas et nachos 24	Baguette salée 5
Cacahuètes 28	
Sucreries	
Pâte à tartiner à base	Miel, gelée, Pâte à tartiner
de noisette 31	aux fruits 0
Chocolat au lait à la pâte	Gomme fruitée 0
d'amande, nougat 25	1 solero 3
1 magnum 20	1 Milky Way 3
1 barre chocolatée Bounty 15	
Graisses	
Margarine 80	Huiles végétales, par ex.
Margarine allégée 40	huile d'olive,de colza,
Mayonnaise (80 %) 78,9	de germe de blé,
Beurre clarifié 99,5	de tournesol comptent
Saindoux 99,9	du fait de leurs acides gras
	sains parmi les brûleurs
	de graisse

Pièges à graisses	Alternatives maigres
Poisson	
Hareng grillé 15	Alternatives maigres
Hareng mariné 16	Cabillaud 0,6
Maquereau fumé 16	Seiche 0,8
Thon à l'huile 21	Perche de rivière 0,8
Anguille 24	Brochet 0,9
Roussette fumée 24	Sandre 1
	Sole 1
	Lieu noir 1
	Langouste 1,1
	Huîtres 1,2
	Moules 1,3
	Crevettes, scampi 1,4
	Homard 1,9
	Carrelet 2
	Lieu noir fumé 0,8
	Truite 3
	Sébaste 4
	Sébaste fumé 5,5
Autres	
Autorisé en quantités	Les fruits, les légumes
modérées :	et légumineuses
Avocat 23, 5	ne contiennent que
Olive noire/à la grecque 36	des traces de graisse.
Noisettes 36,5	*Mangez-en cinq portions*
Cacahuètes 49	*par jour !*
Mousse de cacahuètes 47,8	
Noisettes 61	
Noix de macadamia 73	Tofu 5
Noix de pécan 72	Œufs de poule 5,2
Noix 62	Eau minérale 0

On peut parfaitement se passer de graisse. Si, au lieu d'une saucisse grillée, vous vous tournez vers le blanc de dinde, vous consommerez alors 28 grammes de graisse en moins. Choisissez les alternatives maigres. Cela ne concerne pas vraiment le poisson. Mangez donc du poisson de mer deux fois par semaine, car il est riche en acides gras, excellents pour la santé.

Vous connaissez sans aucun doute Astérix et Obélix, de même que le druide Panoramix. Que vous le croyiez ou non, la potion magique de nos chers héros est principalement constituée de protéines (ne vous en laissez pas conter par les Romains !). Les protéines sont à la base de la production du muscle. Voilà pourquoi la potion magique rend très costaud. De plus, elle fait fondre la graisse. Lorsque vous absorbez des protéines, votre organisme les transforme en énergie, et pour cela, il se sert dans nos chères rondeurs. Mais attention ! Ceux qui se tournent vers les protéines des saucisses et du rôti restent gros. C'est le cas d'Obélix qui se nourrit exclusivement de porc rôti.

Les protéines minceur

Le poisson et les fruits de mer, certains fromages, les produits laitiers allégés, les légumineuses et la volaille sont des concentrés de protéines minceur. Après votre régime, il vous faudra consommer ces aliments quatre fois par jour. Si vous n'y parvenez pas, il vous reste encore la solution de la boisson protéique (cf. page 52 : les concentrés pharmaceutiques). Pour rester mince et en bonne santé, vous avez besoin de 50 à 100 grammes de protéines par jour. Or il n'est pas si simple de remplir son réservoir de manière saine et adaptée.

50

Vous n'avez pas de temps pour cuisiner du poisson ? Alors pensez un boire un verre plein de protéines sans graisse.

LES SOURCES DE PROTÉINES MINCEUR

	Graisse g/100 g	Protéines g/100 g		Graisse g/100 g	Protéines g/100 g
Poisson			**Produits laitiers**		
Truite	2,0	20,0	Babeurre	0,6	3,3
Crevettes	1,8	18,0	Yaourt allégé	0,3	4,0
Flétan	2,0	20,0	Lait écrémé	0,3	3,3
Cabillaud, colin	0,3	17,0	Fromage blanc allégé	0	13,0
Chair de crabe	2,0	19	Fromages au lait caillé)	0	27,0
Églefin	0,3	17,0			
Loche	4,4	22,0	**Légumes**		
Sébaste	3,6	18,0	Haricots blancs	2,0	22,0
Carrelet	1,0	17	Brocolis	0	3,5
Sole	1,0	18	Chou vert	1,0	4,5
			Lentilles	1,0	23,0
Viande			Pousses de soja	1,5	6,0
Blanc de poulet sans peau	0,9	22,8	Cèpes	0,5	3,5
Filet de veau	1,0	21,0			
Escalope de dinde	1,0	30			
Râble de chevreuil	2,0	27,0	**Autres**		
Gîte de bœuf	8,0	20,0	Blanc d'œuf (35 g)	0	4,0
Steak tartare	4,0	20,0			
Lapin	3,0	22,0			

5 : Mastiquer

Jürgen Schilling est acteur. Autrefois, il était particulièrement enrobé. Sa mère possédait un chien bâtard du nom de Lola, qui était lui aussi particulièrement rond. Un jour, Jürgen Schilling lui donna à manger des croûtons de pain sec, et curieusement le chien se mit à perdre du poids. Étonné du fait, l'acteur décida d'essayer sur lui-même cette nouvelle forme de régime. Il s'est donc mis à mâchouiller et mâchouiller encore et toujours jusqu'à perdre 30 kg ! Ceci n'est pas une plaisanterie. Schilling s'est lancé pendant neuf ans dans des recherches sur le sujet et a même écrit un livre à ce propos. Il a gagné de nombreux adeptes, parmi lesquels des médecins renommés ainsi que des scientifiques.

Mâchez la vie pour être mince...

Il ne s'agit en aucun cas de mâcher en vitesse et de manière stressée, mais au contraire de mâchouiller avec plaisir toutes les substances vitales pour en extraire la substantifique moelle, de la même façon que les abeilles aspirent le nectar des fleurs. Mâcher jusqu'à ce que l'aliment ait révélé le moindre de ses arômes pour en régaler votre palais.

➤ Essayez donc cette méthode, dès le premier jour de votre régime, avec un morceau de fruit ou de légume. Mâchonnez-le jusqu'à ce qu'il devienne liquide, et profitez de l'intensité de ses arômes.

... et en bonne santé

Nous avalons de manière précipitée 800 fois par jour et négligeons absolument la digestion par la bouche. Celle-ci préside pourtant à notre santé. Le chercheur Boorhave savait déjà en 1740 : « À la gestion des aliments dans la bouche correspond l'état de l'intestin ; à l'état de l'intestin

correspond l'état du sang ; à l'état du sang correspond l'état de la chair ». Nous tombons malades et sommes agressés par la graisse lorsque nous occultons la digestion par la bouche. Quand nous avalons brusquement les aliments, ceux-ci atterrissent dans notre ventre sous forme de compost qui fermente et pourrit. Il génère alors des toxines qui empoisonnent tout l'organisme. Souhaitez-vous transformer votre ventre en compost ? Non ? Eh bien, apprenez à manger plus lentement. Il ne s'agit pas de vous lancer dans un nouveau sport d'endurance, mais de mâcher plus doucement et de laisser les enzymes et sucs gastriques prendre leur temps et faire leur travail convenablement. Cela permettra à toutes les précieuses substances nutritives que vous consommez d'arriver là où elles sont nécessaires.

Les arômes des légumes s'intensifient lorsque vous les mâchez, et cette manière de les consommer est beaucoup plus digeste.

51

52

Le thé réchauffe
de l'intérieur
et apporte
des substances
nutritives qui
font mincir.
Le fait de boire
dès le matin de l'eau
minérale citronnée
favorise la fonte
des graisses
et la concentration.

Éliminez vos rondeurs en buvant

Nous sommes issus de l'eau et sommes constitués d'eau – au moins pour les deux tiers de notre corps. Le liquide que nous absorbons quotidiennement participe au maintien de toutes les fonctions organiques. L'eau fait battre le cœur, circuler le sang et aide les reins à éliminer. L'eau détoxique le corps, le rafraîchit lorsqu'il a chaud, lubrifie les articulations et dilue toutes les substances nutritives. Pour irriguer nos organes au mieux, les médecins recommandent de boire 1,5 litre d'eau par jour. Mais attention : avec une telle quantité, notre métabolisme se contente de rouler en première. En réalité, nous avons besoin du double pour rouler en seconde, c'est-à-dire de 3 litres d'eau par jour. Une grande quantité de liquide permet aux reins d'éliminer les toxines, et les fibres contenues dans la soupe au chou passent plus facilement le cap de l'estomac. La peau est plus rose, car elle est mieux irriguée et se lifte. En outre, les études s'accordent sur un point : ceux qui ne boivent pas suffisamment, grossissent. On diminue ainsi le potentiel du métabolisme de 2 à 3 % et cela a pour conséquence la prise d'un kilo supplémentaire par an. De plus, le fait de boire réduit l'appétit. Lorsque vous brûlez des graisses – ce que vous faites lors du régime à base de soupe au chou – il y a sécrétion de toxines et d'acides gras libres. Les reins transportent donc les acides gras plus rapidement, et nos organes fonctionnent d'autant mieux s'ils sont bien irrigués.

Boire beaucoup, mais quoi ?

➤ Évitez les boissons sucrées et les nectars de fruits, car leur indice glycémique est élevé. Ils ouvrent l'appétit et atterrissent inévitablement sous forme de graisse sur les hanches. Le jus de pomme (autorisé après le régime) devrait être constitué aux deux tiers d'eau, afin de ne pas être source de calories.

➤ L'alcool est un mauvais compagnon de régime amaigrissant, car il contient 7 calories par gramme, que notre corps destine essentiellement aux tissus graisseux. Aussi longtemps que le foie est activé par l'alcool, la graisse reste sur les hanches. Rien ne s'oppose à la dégustation d'un verre de vin rouge le soir. Il est bon pour la santé, mais uniquement après la semaine de régime.

➤ Vous pouvez boire toutes les variantes de thé, mais le thé noir doit être consommé avec modération. La caféine qu'il contient permet aux reins d'éliminer davantage. Le compteur d'eau est donc pénalisé à terme. Le thé vert contient également de la caféine, mais en quantité moindre. Cette potion médicinale chinoise est riche en minéraux et en substances végétales secondaires qui protègent nos cellules et accélèrent le métabolisme. Les tisanes aux herbes sont, elles aussi, de vraies marques d'affection pour le corps. Alternez donc entre ces boissons et prenez garde de ne pas les laisser infuser trop longtemps, car la plupart des plantes ont des vertus pharmacologiques. L'infusion de mille-pertuis peut, lors des jours sans dîner (cf. page 89), calmer le système digestif, et on la recommande régulièrement pour le traitement des humeurs dépressives. L'infusion de cumin élimine les ballonnements.

(cf. page 89)

CONSEIL

CE QUE VOUS DEVEZ BOIRE PENDANT LA SEMAINE MAGIQUE

➤ 3 litres d'eau et d'infusion de plantes et de tisanes aux fruits.
➤ Ayez toujours avec vous 1 litre d'eau minérale non gazeuse et 2 citrons.
➤ Faites le plein en vitamine C : pressez 1/2 citron dans chaque verre d'eau de 0,4 l.
➤ Diluez quotidiennement un comprimé de calcium et de magnésium, d'abord parce que vous mangez peu de produits laitiers, ensuite parce que ces nutriments sont excellents pour vos nerfs, vos muscles et votre régime amaigrissant.
➤ Buvez du café en petites quantités : 2 tasses par jour tout au plus. Et surtout pas d'alcool !

➤ Après votre semaine de régime à base de soupe magique, multipliez les soupes dans votre alimentation. Une bonne manière de rester mince en ayant bien chaud.

➤ Les jus de légumes sont excellents pour la santé. Un à deux verres quotidiens vous apportent une bonne quantité de substances nutritives et ne pèsent rien sur la balance des calories.

Lorsque vous prenez du café, pensez à boire simultanément une quantité double d'eau citronnée. Le café déshydrate et cela vaut également pour le vin.

Une chose est certaine : ce n'est pas en restant assis sur sa chaise que l'on perd du poids. Si vous voulez éviter que les kilos reviennent plus vite qu'ils ne sont venus, bougez-vous ! En revanche, rien n'est plus agréable que de mettre en mouvements un corps souvent inactif, car on a au moins le plaisir de le sentir vivre. Il ne s'agit pas cependant de s'activer continuellement. Un peu d'exercice suffit : de l'endurance le matin après avoir enfilé vos chaussures de jogging et 10 minutes d'entraînement le soir pour développer les muscles.

Optez pour le mouvement et non pour l'effet yo-yo

Tous les régimes ralentissent le métabolisme jusqu'à le diminuer de moitié dans certains cas. Si l'organisme absorbe moins de calories, le corps en brûle également moins. Or, comme après le régime, il ne comprend pas immédiatement ce qui se produit : « adieu faim de loup », le métabolisme ne s'adapte pas, mais thésaurise des calories en cas de besoin. Si, après le régime, vous mangez exactement de la même manière que précédemment, vous reprendrez rapidement vos kilos perdus et même davantage. Les spécialistes parlent dans ce cas d'effet yo-yo. Or l'activité physique empêche le ralentissement du métabolisme. En outre, elle sert de source d'énergie effective toute la journée, même quand vous vous reposez ou que vous vous asseyez devant votre bureau après votre jogging.

➤ Le sport empêche le corps de mettre en route son programme « économique ». Ne vous contentez pas de faire de la musculation une heure par semaine, mais lancez-vous dans un sport d'endurance régulier : le mieux est de courir, de marcher ou bien de sauter joyeusement sur un trampoline.

Attention à la fonte des muscles

Pendant un régime amaigrissant, le corps se sert dans ses réserves de protéines et se nourrit de muscles ! Vous pouvez facilement éviter ces effets pervers en absorbant des protéines et en vous activant physiquement. Les protéines nourrissent le muscle et celui-ci se développe grâce à l'entraînement.

➤ Si vous faites du sport dans un état de stress, vous brûlerez essentiellement des glucides, du fait de l'insuffisance d'apport d'oxygène aux cellules organiques. Sans oxygène, le corps peut seulement se procurer du sucre pour gagner en énergie. Il en va autrement lors de mouvements doux. Si vous vous entraînez dans la détente, vous alimentez vos cellules en oxygène. Les muscles brûlent alors la graisse, et vous voyez le résultat sur le ventre, les hanches et le bassin.

Courez pour éliminer les kilos

Le brûleur de graisse le plus efficace se trouve dans vos chaussures de jogging. Peu importe que vous choisissiez la course ou la marche à pied, vous activez dans les deux cas 70 % de vos muscles pour chasser la graisse de vos hanches. Vos centrales de combustion des graisses travaillent au mieux le matin lorsque vous courez à jeun, car pendant la nuit, l'hormone de croissance a libéré des molécules de graisse. Or celles-ci attendent d'être transformées en énergie par les muscles au lieu d'atterrir de nouveau sur les hanches. Le meilleur moment pour cela se situe le matin à jeun.

54

Les chaussures de jogging, les haltères et les bandes de latex vous aident à découvrir des sensations physiques tout à fait nouvelles.

Lancez-vous !

Achetez-vous de bonnes chaussures de jogging et un tensiomètre qui émet un bip-bip lorsque vous courez trop rapidement, et que votre organisme passe de la combustion des graisses à celle des glucides (de manière générale avec un pouls à 130). Pour l'achat de votre tensiomètre, demandez conseil à un vendeur spécialisé.

➤ Faites 5 à 10 minutes d'exercices d'étirement.

➤ Puis commencez à marcher à pas énergiques accompagnés d'un balancement efficace des bras (cf. illustration ci-contre). Marchez de la sorte pendant 30 minutes avec une fréquence de combustion des graisses de 100 à 120 pas.

Si vous préférez courir, vous pouvez procéder ainsi :

➤ Courez en petites foulées pendant une minute, puis reprenez le rythme de la marche jusqu'à ce que le pouls ait récupéré. Le lendemain, reprenez de nouveau les petites foulées, mais cette fois pendant deux minutes. Courez très lentement. Si vous êtes fatigué, reprenez la marche jusqu'à ce que le pouls ait récupéré. Si vous parvenez à courir une minute de plus par jour, vous atteindrez très vite la demi-heure. (cf. conseils page 114).

Et pour les plus paresseux : le trampoline

On parle depuis peu de « rebouncing » pour évoquer les sauts pleins d'entrain sur le trampoline. Cet engin à toile tendue vient en seconde position après la marche et la course à pied. Pourquoi en seconde position seulement ? Tout simplement parce qu'il se pratique à l'intérieur et que vous ne pouvez pas bénéficier de la lumière du soleil, elle aussi source de minceur. La lumière du jour est le coupe-faim le plus naturel qui soit. Elle augmente le taux de sérotonine dans le cerveau, substance de la bonne humeur qui freine également l'appétit. 15 minutes de saut sur la toile tendue ont le même effet sur la combustion des graisses que 30 minutes de course à pied. Ce type d'exercice réveille et dénoue les tensions. Il est accessible même aux plus enrobés, car il échauffe les tendons et articulations. En outre, ce jeu qui apporte une sensation de légèreté est bon pour le moral. Un petit trampoline vous coûtera entre 50 et 100 euros.

55

La marche à pied est également excellente pour la ligne.

Les petits exercices de Holle Bartosch vous permettront de faire travailler vos muscles 10 minutes par jour. Un bon moyen de mincir. Achetez-vous préalablement une bande de latex et des haltères dans un magasin de sport.

Pour les femmes

Débutantes : des haltères de 2 kg et des bandes de latex souples. Confirmées : des haltères de 3 kg et des bandes de latex de résistance moyenne.

Pour les hommes

Débutants : des haltères de 3 kg et des bandes latex de résistance moyenne. Confirmés : des haltères de 4 kg et des bandes latex résistantes.

➤ Échauffez-vous d'abord : courez sur place quelques minutes.
➤ Pour chaque exercice, vous pouvez renouveler le mouvement un maximum de 15 fois. Si vous effectuez les derniers en serrant les dents, vous devez au moins respirer calmement.
➤ Les débutants répéteront 3 fois les exercices et les confirmés 4 à 6 fois.

CONSEIL

MADAME SCHWARZE-NEGGER ?

Ces exercices renforcent vos muscles, activent la combustion des graisses, liftent les tissus et luttent contre la cellulite.

L'exercice pour l'abdomen

① Allongez-vous sur le dos et pliez les jambes en les écartant légèrement, orteils tendus, genoux ouverts vers l'extérieur et mains sous la nuque.

② Appuyez les lombaires sur le sol. Relevez la partie supérieure du buste et maintenez la tension dans les abdominaux 1 à 2 secondes, puis déroulez la colonne vertébrale en direction du sol sans reposer la tête. Renouvelez ce mouvement 10 à 15 fois, puis accordez-vous 30 secondes de pause. Recommencez l'exercice 2 ou 3 fois.

Il est important de pratiquer une respiration régulière. Ne retenez pas l'air lorsque vous êtes fatigué !

muscler

La bande de latex pour les jambes, le bassin et la partie supérieure du dos

③ Écartez et pliez légèrement les jambes en vous plaçant au milieu de la bande de latex. Enroulez les extrémités de la bande autour de vos mains, de sorte que celle-ci soit légèrement tendue lorsque les bras pendent. Rentrez le ventre et rapprochez les omoplates de la colonne vertébrale.

④ Pliez les jambes en maintenant le dos bien droit et levez simultanément les bras sur le côté, de sorte que mains et coudes soient à la hauteur des épaules.

15 fois (arrêtez si vous êtes fatigué).
30 secondes de pause. Répétez l'exercice 2 à 3 fois.

Les haltères pour le bassin, les jambes et les bras

⑤ Prenez les haltères et placez-les dans la nuque, les coudes sur le côté. Faites un pas en avant de sorte que les jambes soient pliées.

⑥ Levez les bras et agenouillez-vous sur une jambe, sans toucher le sol. Levez le talon de la jambe arrière.

15 fois. 30 secondes de pause.
Changez de jambe. Répétez l'exercice 2 à 3 fois.

CONSEIL

COURBATURES MUSCULAIRES

Si vous souffrez le lendemain de courbatures musculaires, arrêtez les exercices pendant toute une journée avant de les reprendre. Les courbatures légères ne sont pas graves du tout. Elles témoignent au contraire du fait que vos muscles travaillent.

57

58

Vous êtes maintenant convaincu et vous vous sentez prêt à commencer le régime pour retrouver la ligne ? Vous commencez demain ? Votre conjoint s'y met aussi ? À deux, c'est plus facile. Vous avez calculé votre indice de masse corporelle (cf. page 11) et vous vous êtes procuré les principaux équipements de sport ? Bien. Vous aimez et supportez le chou ? Formidable, mais il vous manque encore les sept conseils magiques destinés à vous accompagner pendant les sept jours à venir.

1. Disposez dès ce soir une paire de chaussures de jogging au pied de votre lit. Elles vous rappelleront chaque matin que, sans activité physique, pas d'effet minceur. Mettez votre réveil à sonner une demi-heure plus tôt : prévoyez quotidiennement 30 minutes d'activité physique le matin.

2. Videz votre réfrigérateur et faites cadeau de vos réserves de plats prêts à consommer, de chocolat, etc.

3. Expliquez à tous vos proches que vous ne souhaitez pas être invité cette semaine ni pour une glace au café, ni pour une pizza. Cela vous évitera d'avoir à répondre en pleurnichant aux sollicitations amicales : « Je ne peux pas, je dois maigrir, je suis trop gros. »

Avant de vous lancer dans la consommation de la soupe au chou, il vous faut prendre connaissance des sept conseils magique.

7. Faites une liste des aliments dont vous avez besoin afin de ne manquer de rien à la maison. Cela vous évitera de vous précipiter sur le chocolat au lieu de croquer dans la pomme. Attrapez votre livre de cuisine préféré et inscrivez à l'intérieur les ingrédients qu'il vous faut pour votre première soupe au chou. La liste ci-dessous vous aidera à faire le point sur tout ce dont vous avez besoin.

Maintenant, c'est à vous de jouer. Les pages 60 et 61 vous donneront un aperçu global de votre semaine magique, tandis que la page 62 vous proposera une journée de fruits.

4. Disposez partout dans votre appartement des bouteilles d'eau minérale, de même que sur la table de votre bureau, pour vous rappeler de boire.

5. Sortez de votre armoire vos jeans préférés, ceux que vous souhaitez pouvoir de nouveau porter. Si vous êtes hanté par une irrésistible envie de chocolat, rien de plus efficace pour ne pas céder que la méthode de la visualisation. Envoyez à votre cerveau une image de vous-même mince, portant vos jeans, et projetez-vous dans une représentation séduisante de vous-même.

6. Commencez votre régime un samedi. Vous aurez ainsi tout le week-end devant vous pour planifier vos activités sportives et vos détentes.

LA LISTE DES COMMISSIONS

➤ Au marché ou dans les magasins diététiques : les ingrédients pour la soupe au chou, des fruits frais et des légumes de saison. Du fait que les fruits perdent un peu chaque jour de leurs substances nutritives, ravitaillez-vous tous les deux jours. Plus : des herbes fraîches, des piments, du thé vert, des tisanes aux fruits et des infusions de plantes, des jus de légume naturels.

➤ Au supermarché : des fruits et légumes surgelés ; 2 packs d'eau minérale. Les autres ingrédients destinés à la soupe au chou comme les condiments, une huile d'olive de qualité, première pression à froid. Du lait écrémé, du babeurre et du yaourt allégé.

➤ En pharmacie : une préparation de poudre protéique et des compléments en vitamines et sels minéraux. Plus : des comprimés de calcium et de magnésium (1 à 2 par jour).

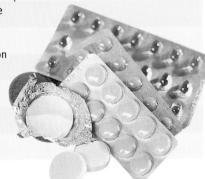

	1. jour **Fruits**	**2.** jour **Légumes**	**3.** jour **Fruits et légumes**
Le secret du jour	Tous les fruits sont autorisés, excepté les bananes. Dès que vous avez faim : soupe magique. Boisson : un minimum de 3 litres d'eau minérale avec du jus de citron et de la tisane. Café et thé avec modération.	Tous les légumes sont autorisés excepté le maïs et les petits pois. Soupe magique à volonté. Boisson : référez-vous au premier jour. Les jus de légumes sont également autorisés. Une pomme de terre cuite le soir.	Aujourd'hui, vous pouvez manger des fruits et des légumes ainsi que de la soupe à volonté. Boisson : eau minérale non gazeuse, jus de légumes et tisanes. Peu de café et de thé.
Le matin	➤ Exercice de respiration (page 46), jogging à jeun (page 54, 62) ➤ Cocktail protéique et des fruits	➤ Exercice de respiration, jogging à jeun ➤ Cocktail protéique ➤ Légumes	➤ Exercice de respiration, jogging à jeun ➤ Cocktail protéique ➤ Fruits et légumes
Le déjeuner	➤ Soupe magique : choisissez parmi les recettes du quartet culinaire (à partir de la page 20) ➤ Fruits ➤ Exercice de respiration	➤ Soupe magique ➤ Salade ou légumes ➤ Exercice de respiration	➤ Soupe magique ➤ Salade ou légumes ➤ Exercice de respiration
L'encas	➤ Exercice de musculation (page 56) ➤ Boisson brûleuse de graisse	➤ Exercice de musculation ➤ Boisson brûleuse de graisse	➤ Exercice de musculation ➤ Boisson brûleuse de graisse
Le dîner	➤ Soupe magique ➤ Fruits ➤ Exercice de respiration	➤ Soupe magique ➤ Pomme de terre cuite ➤ Exercice de respiration	➤ Soupe magique ➤ Fruits et légumes ➤ Exercice de respiration

4. jour

Bananes

Aujourd'hui, les bananes sont au menu, combinées avec des produits laitiers allégés. S'ajoute : la soupe magique. N'oubliez pas de boire beaucoup.

➤ Exercice de respiration, jogging à jeun
➤ Cocktail protéique à la banane

➤ Soupe magique
➤ 1 banane
➤ Exercice de respiration

➤ Exercice de musculation
➤ Boisson protéique à la banane

➤ Soupe magique
➤ 1 banane
➤ Exercice de respiration

5. jour

Poisson/Volaille

Aujourd'hui, vous avez enfin droit à du plaisir pur : soupe au chou plus poisson à la vapeur avec des tomates. Si vous n'aimez pas le poisson, mangez un morceau de volaille.

➤ Exercice de respiration, jogging à jeun
➤ Cocktail protéique
➤ Poisson ou soupe au chou

➤ Soupe magique
➤ Poisson ou volaille avec des tomates
➤ Exercice de respiration

➤ Exercice de musculation
➤ Boisson brûleuse de graisse

➤ Soupe magique
➤ Poisson ou volaille avec des tomates
➤ Exercice de respiration

6. jour

Volaille et légumes

Vous ne devez pas vous limiter aujourd'hui aux tomates, mais vous pouvez associer le légume de votre choix au poisson ou à la volaille. N'oubliez pas de boire de la soupe au chou !

➤ Exercice de respiration, jogging à jeun
➤ Cocktail protéique
➤ Légumes

➤ Soupe au chou
➤ Poêlée de poulet
➤ Exercice de respiration

➤ Exercice de musculation
➤ Boisson brûleuse de graisse

➤ Soupe magique
➤ Poisson ou volaille avec légumes ou salade
➤ Exercice de respiration

7. jour

Riz et légumes

Alimentez-vous, pendant la journée, de soupe au chou et de légumes à volonté. Préparez-vous un risotto le soir.

➤ Exercice de respiration, jogging à jeun
➤ Cocktail protéique
➤ Légumes

➤ Soupe magique
➤ Salade ou légumes
➤ Exercice de respiration

➤ Exercice de musculation
➤ Boisson brûleuse de graisse

➤ Soupe magique
➤ Risotto aux champignons
➤ Exercice de respiration

61

Le premier verre d'eau minérale vous attend sur votre table de nuit. Ouvrez ensuite la fenêtre et commencez votre premier exercice de respiration.

62

Les fruits sont essentiels le premier jour du régime. Vous pouvez en dévorer à volonté à l'exception des bananes qui ont un indice glycémique élevé et contiennent une bonne quantité de calories. Tenez-vous-en précisément à la prescription de chacune des journées. Cette organisation est la clé du succès de ce régime amaigrissant.

Le premier jour, il est préférable de ne pas prévoir d'activité particulière le soir. Il est plus facile, les jours suivants, de résister aux sollicitations des restaurants et des festivités. Si vous tenez absolument à vous rendre à une fête, emportez votre bouteille thermos de soupe magique.

En forme toute la journée

➤ Lorsque vous vous réveillez et vous étirez, buvez d'abord le grand verre d'eau minérale (0,3-0,4 l), posé sur la table de nuit : c'est la formule naturelle la plus simple pour lutter contre les problèmes de constipation matinaux. Le verre d'eau déclenche le fameux réflexe gastrocolique et vous vous précipitez aux toilettes 10 minutes après. Entre-temps, faites l'exercice de respiration de la page 46.

Nouez les lacets de vos chaussures

… avant même de boire votre café ou de passer sous la douche !

➤ Sortez prendre l'air une bonne demi-heure. La lumière active l'hormone du bonheur appelée sérotonine qui vous met de bonne humeur et diminue l'appétit. L'activité physique est excellente pour le métabolisme. En outre, l'activité avec un estomac vide détoxique l'organisme. Vous pouvez faire du vélo, marcher ou bien courir (page 54). Si le temps ne se prête pas à la promenade et que vous n'avez pas envie de sortir, alors sautez 15 à 20 minutes sur votre trampoline.

Un petit-déjeuner copieux plus un cocktail protéique…

Remplissez enfin vos 70 milliards de cellules qui ont vidé leur réserve de protéines pendant la nuit, au cours du sommeil réparateur :

● Versez et mélangez 2 cs de poudre protéique dans un verre de lait écrémé, du kéfir ou du babeurre.

... en plus d'une salade de fruits

➤ Prenez votre temps. Épluchez et coupez tranquillement les fruits que la saison vous propose. Vous trouverez page 64 quelques indications intéressantes à ce propos. Préparez-vous-en un bol plein. Assaisonnez-la de jus de citron riche en vitamine C. Le sucre naturel des fruits doit vous suffire.

➤ Buvez du thé, ou si vous ne pouvez vous en passer, du café. Non sucré. Vous voulez aussi sortir de la spirale infernale de l'insuline « sucré – faim – sucré – faim ». Il faut également éviter les produits sucrés cette semaine.

Au déjeuner : une bonne assiette de soupe au chou...

... ou deux, ou trois.

➤ Vous pouvez vous resservir deux ou trois fois si vous en avez envie.

Réchauffez bien votre soupe. Le four à micro-ondes convient également. La soupe chaude rassasie davantage et apaise.

Vous pouvez bien sûr manger des fruits à midi. Mais n'oubliez pas votre exercice de respiration.

L'encas de l'après-midi : 10 minutes consacrées aux muscles, ensuite les protéines

➤ 10 minutes suffisent pour faire travailler les muscles efficacement afin qu'ils continuent de brûler des graisses même après le régime (page 56). Après l'exercice, buvez une boisson brûleuse de graisse. Vos muscles ont essentiellement besoin de protéines.

Le cocktail brûleur de graisse aux fruits

1/2 papaye mûre
Jus d'une limette
Jus d'une orange
1/4 l de petit-lait froid
2 cs de poudre protéique

① Enlevez les graines de la papaye, épluchez-la et coupez-la en petits dés. Passez-les au mixeur énergiquement pendant 15 secondes avec les jus de limette et d'orange, le petit-lait et la poudre protéique. ② Versez la boisson dans un grand verre et garnissez d'une rondelle de citron.

Au dîner : soupe et fruits

➤ Buvez d'abord une assiette de soupe magique. Puis enchaînez avec une salade de fruits.

➤ Dînez le plus tôt possible, au plus tard vers 19 heures. Si vous vous mettez à table au-delà de cet horaire, votre estomac risque d'en faire les frais à cause de la digestion des fruits. N'oubliez pas votre exercice de respiration.

63

CONSEIL

QUAND VOUS AVEZ FAIM...

➤ ... dirigez-vous vers le réfrigérateur pour vous verser un grand bol de soupe magique. Buvez-en à volonté et autant que vous pouvez.

➤ De plus : vous pouvez également déguster une bonne assiette de soupe chaude juste avant d'aller dormir.

DE LA CRÈME DE FRUITS

Certaines personnes n'aiment pas les fruits et frustrent ainsi leurs 70 milliards de cellules. Il suffit alors de modifier la matière à ingérer en coupant les fruits en petits morceaux ou bien en les mixant grâce à la baguette magique. Il est également possible de les presser et de boire leur délicieux jus.

Les substances nutritives et les arômes des fruits frais sont d'un apport plus précieux pour notre organisme que les comprimés chimiques des laboratoires. Croquez directement dans ces fruits ou suivez nos recettes magiques.

La merveilleuse salade de fruits

● Coupez en petits morceaux quelques fruits frais de saison (ou bien du congélateur). Ajoutez 2 cc de jus de citron et 3 ou 4 petites feuilles de mélisse coupées. En été, abricots, nectarines et baies (fruits rouges) sont parfaitement adaptés. À l'automne, préférer pommes, poires et oranges.

Un doux mélange fruits yaourt

● Lavez les fraises en évacuant les feuilles vertes. Épluchez 1 mangue ou 1 papaye et coupez le fruit en gros dés, que vous placerez sur un pic à brochette. Préparez ensuite le mélange yaourt-orange composé de 3 cs de yaourt allégé et d'1 cs de jus d'orange frais.

Une ode au bonheur : le carpaccio de fruits.

Le carpaccio exotique

● Émincez finement des fraises ou bien une mangue et disposez les lamelles sur une assiette. Assaisonnez de 2 cc de jus de citron ou de vinaigre balsamique et garnissez herbes fraîches (menthe ou mélisse citronnée).

Avec la baguette magique

● Mixez framboises, myrtilles, fraises et kiwis, de même que pêches ou abricots pelés avec la baguette magique. Assaisonnez d'1 ou 2 cc de jus de citron. Passez éventuellement le mélange au tamis. Pour la décoration : déposez sur l'assiette 3 cs de purée de fruits de couleurs différentes, puis mélangez-les à l'aide de baguettes chinoises en bois.

Et sur la brochette magique

● Lavez et coupez menu différents fruits colorés : ananas, kiwi et fraises. Enfilez-les sur une petite brochette en bois et arrosez de 2 cc de jus de citron.

La soupe de melon magique

● Découpez dans le melon des petites boules de chair et mettez-les au congélateur. Mixez le reste de chair avec 1 ou 2 cs de jus de citron. Disposez la purée sur l'assiette avec les boules de melon glacées et garnissez de mélisse.

Un délicieux sorbet aux fruits

● Mixez des fraises et des kiwis. Ajoutez 1 cs de jus de citron. Versez le tout dans une petite boite en acier inoxydable que vous laisserez au congélateur 2 heures et demie. Battez le mélange énergiquement toutes les demi-heures avec un fouet. Servez le sorbet dans une coupe.

L'indice glycémique des fruits

➤ Pendant la semaine magique, vous pouvez également manger des fruits dont le GLYX est élevé, car ils drainent très peu de graisse. N'en mangez cependant pas trop et dégustez-les de préférence l'après-midi. La pastèque, l'ananas, le melon et la banane ont un indice glycémique élevé.

➤ Les fruits exotiques sont particuliers : l'indice glycémique du kiwi, de la mangue et de la papaye est un peu supérieur à 50 (donc moyen), mais ces fruits contiennent des enzymes qui favorisent la digestion des protéines et une grande quantité de vitamine C – ces deux éléments activent la combustion des graisses.

➤ Vous pouvez consommer à volonté les fruits dont le GLYX est bas. Cerises, prunes, pamplemousses, baies (fruits rouges), poires, pommes, pêches, oranges et raisin sont sur la liste !

Préférez les fruits de saison

Vous savez que le fait d'être transporté longtemps nuit aux fruits. En quelques jours, ils perdent une quantité considérable de substances nutritives. Or, pour transporter les fruits à maturité, on les récolte encore verts. Il leur manque donc les rayons du soleil des trois, quatre derniers jours de maturation pour développer leurs nutriments.

Vous pouvez acheter ces fruits, à condition de ne pas les laisser mûrir plusieurs jours à la maison. Il est préférable de les consommer tout de suite.

65

Les bâtonnets de légume sont excellents pour la concentration.

En forme toute la journée

➤ Faites l'exercice de respiration indiqué à la page 46 de même que le plein de l'hormone minceur appelée sérotonine – en vous activant physiquement 30 minutes au grand air.

➤ Préparez-vous ensuite une boisson protéique. Ajoutez quelques fines herbes fraîches dans votre potion.

Des légumes au petit-déjeuner

➤ Coupez en petits morceaux, en lamelles ou en bâtonnets, carottes, radis blanc, concombre, petits radis, poivron, fenouil et tomates. Vous pouvez choisir tous les légumes que vous voulez, excepté les pois et le maïs.

Les pages 68 et 69 vous apporteront quelques idées de recettes pour varier vos menus. Cela ne vous convient pas du tout le matin ? Alors contentez-vous d'un bol de soupe magique bien chaude.

Vous vous sentez nerveux ?
Eh bien grignotez des carottes !

Votre cerveau manque de sucre et vous êtes et agité ? Vous avez donc besoin de glucides et plus exactement de glucose.

➤ Rien de mieux que de grignoter des carottes ! Elles sont riches en sucres naturels, qui parviennent au cerveau sous forme de glucose sans pour autant surcharger le sang.

CONSEIL

ATTENTION !

Quelle quantité de soupe vous reste-t-il ? Sera-t-elle suffisante pour demain ? Si ce n'est pas le cas, il vous faut préparer la prochaine marmite.

66

Bonjour ! Le second jour de régime commence ! Comment vous sentez-vous ? La première journée de soupe au chou n'a pas été insurmontable et vous avez envie de continuer ? Aujourd'hui, vous avez droit aux légumes et même à une pomme de terre pour le dîner.

Quand vous êtes-vous régalé de légumes pour la dernière fois ? Ces aliments naturels, à la fois riches et légers, devront désormais faire partie de votre nouvelle vie. Le secret des personnes minces, en bonne santé et heureuses de vivre consiste à manger des légumes, toujours des légumes et encore des légumes. Cinq portions par jour pour être précis.

Aide de **contrôle du régime**

À partir d'aujourd'hui, il est important de vérifier que vous n'avez rien oublié dans le déroulement du régime :

PETIT-DÉJEUNER
Exercice de respiration (page 46)
Jogging à jeun (page 62)
Cocktail protéique (page 62)
Légumes

DÉJEUNER
Soupe magique
Salade ou légumes
Exercice de respiration

ENCAS DE L'APRÈS-MIDI
Soupe magique
Exercice de musculation (page 56)
Boisson brûleuse de graisse

DÎNER
Soupe magique
Pomme de terre cuite
Exercice de respiration

Pour le déjeuner : d'abord la soupe et plus tard l'exercice de musculation

➤ Pour le déjeuner, buvez 1 bol de soupe chaude. Mangez une salade en entrée.

➤ Faites travailler vos muscles 10 mn l'après-midi (page 56). Si vous n'y parvenez pas, faites-le à la suite de votre entraînement du matin. Ou bien manipulez les haltères pendant les informations télévisées du soir (19 heures). Pas plus tard, car le travail musculaire déclenche l'hormone de l'éveil.

➤ N'oubliez pas de boire dans l'après-midi votre potion brûleuse de graisse.

Le cocktail brûleur de graisse aux légumes

40 g de poivron rouge
40 g de céleri
1 cs de feuilles de persil
1 goutte de Tabasco
100 ml de jus de tomate froid
100 ml de babeurre
1 cs de poudre protéique
Sel et poivre du moulin

● Lavez le poivron, épluchez le céleri et coupez les 2 légumes en petits morceaux. Mixez-les avec le persil, le Tabasco, la poudre protéique et le jus de tomate. Ajouter le babeurre et mixez encore. Assaisonnez de sel et de poivre. Garnissez de persil et dégustez.

Pour le dîner :

Une pomme de terre en papillote

➤ Faites réchauffer la soupe au chou.
➤ Puis préparez la pomme de terre :

● Enfermez une grosse pomme de terre dans une feuille d'aluminium et enfournez-la 75 à 90 minutes à 225 °C (air pulsé 200 °C). (Ou bien 3 petites pommes de terre en robe de chambre). Ajoutez 3 cs de fromage blanc allégé aux fines herbes.

➤ Vous pouvez également boire un peu de soupe au chou avant d'aller au lit.

67

La formule magique : légumes mixés + protéines.

Vous n'êtes pas obligé de grignoter constamment des carottes. Les légumes sont excellents au goût et riches en vitalité, grâce aux vertus naturelles et aux rayons du soleil.

Un fast-food de légumes crus

● Carottes, courgettes, concombre et céleri rave trouvent une alliée à la maison en la râpe. Lorsque les légumes sont grossièrement râpés, les cellules renfermant leurs précieux nutriments s'ouvrent. Assaisonnez le tout de sel, de poivre, de 2 cs de jus de citron et de quelques gouttes d'huile de noix ou de noisette.

● Coupez les poivrons, les petits oignons, le fenouil et les carottes en lamelles. Ajoutez une salade aux arômes soutenus comme l'endive, le radichio ou la romaine. Vous pouvez également vous préparer une petite boisson au yaourt avec 75 g de yaourt allégé, du jus de citron, du sel et du poivre. Ajoutez 1 cs de persil haché ou de ciboulette.

Blanchissez la salade

● Choisissez du brocoli, du chou-fleur ou des blettes. Lavez-les et coupez-les. Portez à ébullition une grande marmite d'eau. Plongez les légumes quelques minutes seulement dans l'eau bouillante pour en préserver l'arôme, puis versez-les immédiatement dans de l'eau rafraîchie avec des glaçons. Les légumes sont croquants à souhait et colorés. Assaisonnez d'1 à 2 cc de jus de citron, de sel, de poivre et d'1 cc d'huile d'olive.

La cuisson magique à la vapeur

Les légumes tendres comme le chou-rave, les carottes, les champignons, les aubergines, les courgettes ou le poireau expriment des arômes magiques lorsqu'ils sont cuits à la vapeur.

● Faites revenir 1 cc d'huile d'olive dans une poêle à feu moyen. Ajoutez les légumes coupés en petits morceaux et faites-les blondir 2 à 5 minutes en remuant. Versez 2 à 4 cs d'eau, salez légèrement et poivrez. Couvrez et faites cuire à la vapeur à feu doux.

La magie de l'aluminium

● Vous avez envie d'un petit concentré d'arômes ? Il vous suffit d'enduire d'1 cc d'huile d'olive le côté brillant d'une feuille d'aluminium. Ajoutez des tomates coupées en 2, des feuilles d'épinard, des petits oignons, des rondelles de poireau ou des lamelles de fenouil. Salez modérément et poivrez, saupoudrez d'1 à 2 cs de fines herbes hachées (thym, estragon ou persil) et arrosez de 2 cs de jus de citron. Refermez la feuille d'aluminium. Enfournez la papillote après un préchauffage à 200 °C (gaz à 3, air ventilé à 180 °C) pendant 20 à 30 minutes.

La multiplication des vitamines

La cuisson à la vapeur est le procédé le plus adapté aux choux-fleurs, brocolis, céleris, choux de Milan, choux-raves, carottes, oignons et asperges.

● Coupez grossièrement les légumes. Versez dans un autocuiseur de l'eau salée ou du bouillon de légume. Ajoutez 3 grains de poivre, 1 feuille de laurier, 2 brins de persil et 2 branches de thym, puis faites cuire le tout. Versez les légumes dans le tamis de l'autocuiseur. Fermez le couvercle et cuisez à feu fort. Aussitôt que la vapeur apparaît, poursuivez la cuisson à feu moyen pendant 25-30 minutes. Lorsque vous retirez du feu, ne soulevez pas le couvercle, mais attendez le terme de la production de vapeur.

La cuisson au grill préserve les arômes

Les légumes favoris du grill sont l'aubergine, la courgette, le poivron, la tomate et l'oignon.

● Coupez les légumes en tranches ou lamelles, incisez les tomates. Enduisez-les très légèrement d'huile d'olive et saupoudrez-les de thym, romarin, sel et poivre. Enfournez-les sur le grill quelques minutes dans un four préchauffé, de sorte que les légumes soient croustillants. Astuce : Préparez aussi des petits morceaux de légumes en brochettes.

Rapidement prêt grâce au wok

● Faites revenir 1 cs d'huile d'olive dans un wok. Versez des légumes coupés en petits morceaux, (carottes, oignons, poireaux et choux chinois). Faites-les cuire quelques minutes en remuant. Assaisonnez de poivre et d'1 à 2 cs de sauce soja.

Les fines herbes doivent accompagner tous les plats de légumes : elles sont excellentes pour la santé, la digestion et sont absolument diététiques !

69

(pensez-y la veille !), car les fruits surgelés conservent toutes leurs vitamines. Préparez-vous une bonne assiette de baies (fruits rouges) et dégustez ces trésors de nutriments (recettes page 64).

Au bureau ? Pas de souci !

Avez-vous pensé aux fruits et à la bouteille thermos pleine de soupe magique ? Servez-vous en à volonté. Plus vous boirez de soupe, plus vous maigrirez. Il est même possible que vos collègues viennent goûter avec curiosité à votre recette magique.

Ne négligez pas les fruits exotiques pour votre petit-déjeuner. Les enzymes de la papaye et de l'ananas accélèrent le métabolisme des protéines, indispensables pour brûler les graisses. Faites mariner les fruits exotiques dans du jus de citron ou d'orange. Renoncez au sucre et aux sucrettes.

La formule magique pour garder la ligne

Aujourd'hui, vous avez le choix : fruits ou légumes. Il vous faut cependant exclure les bananes et tous les légumes dont l'indice glycémique est élevé, notamment le maïs, les pois, les betteraves rouges et le potiron.
Reportez-vous aux pages 64, 68 et 69 pour les suggestions de préparation.

En forme toute la journée

Vous avez compris maintenant : votre journée commence systématiquement avec un verre d'eau, des exercices de respiration et une activité sportive : 30 minutes à jeun au grand air. Préparez-vous ensuite une boisson protéiné et une salade de fruits pour le petit-déjeuner.

Pas le temps ?

Vous n'avez pas le temps d'éplucher et de couper les fruits ? Alors servez-vous dans le congélateur

Aide de **contrôle du régime**

Vérifiez aujourd'hui encore que vous n'avez rien oublié dans le déroulement du régime :

PETIT-DÉJEUNER
Exercice de respiration (page 46)
Jogging à jeun (page 62)
Cocktail protéique (page 62)
Fruits, légumes, soupe magique

DÉJEUNER
Soupe magique
Salade ou légumes
Exercice de respiration

ENCAS DE L'APRÈS-MIDI
Soupe magique
Exercice de musculation (page 56)
Boisson brûleuse de graisse

DÎNER
Soupe magique
Légumes et fruits
Exercice de respiration

Pour combler les petits
creux au bureau :
la bonne soupe au chou
de la bouteille thermos.

À la cantine et au restaurant

Si vous voulez déjeuner avec vos collègues, avalez d'abord une assiette de soupe. Prenez ensuite une salade que vous assaisonnez vous-même de vinaigre, d'huile d'olive, de sel et de poivre. Les légumes cuits à la vapeur sont autorisés (ou bien cuits dans une poêle à revêtement avec une goutte d'huile d'olive - dans les bons restaurants, votre demande sera exaucée).

Emportez vos haltères !

Même au bureau, vous trouverez bien quelques minutes à consacrer à vos muscles. En outre, si nous respectons notre biorythme, nous avons besoin de faire une pause toutes les 90 minutes. Consacrez-la à vos muscles ou bien aux exercices de respiration.

La boisson brûleuse de graisse ?

Pas question de l'oublier ! Pensez à la préparer le matin en suivant la recette que vous préférez : celle de la page 63 (avec des fruits) ou bien celle de la page 67 (avec des légumes). Versez le jus dans une bouteille.

Pour le dîner : de la soupe au chou

… accompagnée de légumes, salade et fruits. Vous avez droit à tout cela ce soir, à moins que vous ne souhaitiez vous limiter à l'un ou à l'autre. Cuisinez comme vous l'entendez à la casserole, au grill, en papillote ou dans un wok.

Mince et en forme pour la demi-finale

Vous avez déjà parcouru la moitié du chemin. Il vous reste à lutter contre les derniers kilos. Si vous ne parvenez plus à avaler la soupe, mixez-la. Et si vous n'en pouvez vraiment plus, alors commencez le régime alterné (cf. page 88).

Continuez sur votre lancée

➤ Un verre d'eau pour le réflexe digestif, les exercices de respiration et le jogging…

➤ Les exercices de respiration activent 3 fois par jour la combustion des graisses dans les cellules.

➤ Lors d'un jogging de 30 minutes, vous brûlez 15 fois plus de graisse que lorsque vous êtes assis devant votre télévision et vous favorisez la combustion des graisses toute la journée.

➤ Pour assimiler et digérer la soupe au chou que vous absorbez du matin au soir, votre corps a besoin d'énergie et il en trouve dans vos réserves de graisse.

➤ Les protéines, la soupe et les bananes constituent un apport en nutriments essentiels qui maintient la combustion des graisses.

➤ Boire beaucoup rassasie, embellit et fait mincir (page 52) !

➤ 10 minutes d'entraînement musculaire quotidien produisent de nombreux petits fourneaux de combustion des calories.

Le cocktail à la banane et au babeurre est très bon pour la ligne.

72

> La variante du jour : buvez de la soupe et mangez 3 ou 4 bananes – pas d'autres fruits ni de légumes – et ce, dès le matin. Vous vous régalerez si vous dégustez les bananes sous forme de cocktail, et vous ferez ainsi le plein de protéines.

Cocktail de banane et protéines

1 grande banane mûre
1 cs de jus de citron
150 ml de babeurre
2 cs de poudre protéique

 Épluchez la banane et coupez-la en rondelles. Mixez-la pendant 15 secondes en ajoutant le jus de citron et le babeurre. Versez ensuite la poudre protéique et mixez 10 secondes de plus. Versez le cocktail dans un grand verre et dégustez-le.

De midi à minuit

La soupe au chou figure évidemment au menu. De même que les bananes, mangées épluchées, en rondelles ou en cocktail. Si vous êtes un peu écœuré par la soupe, passez-la au mixeur et buvez-la ainsi. Elle se déguste également très bien froide.
> N'oubliez pas votre exercice de respiration le midi.
> Préparez-vous une boisson protéique à la banane après votre exercice de musculation. Cette boisson favorise d'ailleurs positivement le sommeil. Buvez-la environ une heure avant d'aller dormir. La combinaison des protéines et des glucides libère l'hormone du sommeil qu'est la sérotonine, mieux que n'importe quelle autre pilule. Si vous préférez, vous pouvez adopter le cocktail à la banane toute la journée.

Aide de **contrôle du régime**

Vérifiez aujourd'hui encore que vous n'avez rien oublié dans le déroulement du régime :

PETIT-DÉJEUNER
Exercice de respiration (page 46)
Jogging à jeun (page 62)
Cocktail protéique à la banane (page 62)

DÉJEUNER
Soupe magique
1 banane
Exercice de respiration

ENCAS DE L'APRÈS-MIDI
Soupe magique
Exercice de musculation (page 56)
Boisson brûleuse de graisse

DÎNER
Soupe magique
1 banane
Exercice de respiration

CONSEIL

ATTENTION !

Où en sont vos réserves de soupe ? Vous avez peut-être envie de vous lancer dans la préparation de l'une des autres recettes du quartet culinaire ?

73

En route pour la dernière ligne droite

Vous maîtrisez bien maintenant le déroulement de vos journées. Aujourd'hui : poisson et tomates sont au menu ! Pas d'autres légumes ni de fruits. Si vous n'aimez pas le poisson, vous avez droit à de la volaille.

Pour l'estomac et les muscles

➤ Le matin et l'après-midi, soyez fidèle à votre boisson protéique de la page 62 – sans oublier une bonne assiette de soupe au chou.

➤ Pour le déjeuner et le dîner et même au petit-déjeuner vous avez droit au poisson (ou à de la volaille sans peau) grillé ou cuit à la vapeur accompagné de tomates. En voici une préparation possible :

Papillote de cabillaud à la tomate

150 g de filet de cabillaud
3 tomates
1 cs de fines herbes fraîches hachées
(persil, aneth et ciboulette)
1 gousse d'ail hachée
2 cc de jus de citron
2 cc d'huile d'olive
Sel et poivre du moulin

1 Préchauffez le four à 200 °C. Passez le filet de cabillaud sous l'eau fraîche. Assaisonnez-le de jus de citron, de sel et de poivre. Lavez les tomates et équeutez-les puis coupez-les en tranches épaisses.

2 Enduisez une grande feuille d'aluminium d'1cc d'huile d'olive. Répartissez les tomates dessus, salez, poivrez et saupoudrez d'ail et de fines herbes. Disposez ensuite le poisson et enduisez-le d'1 cc d'huile d'olive. Refermez la papillote. Enfournez à 200 °C (au milieu ; air pulsé 180 °C) pendant 20 minutes.

Une ode à la tomate

La tomate est un fruit paradisiaque, et le potassium qu'elle contient participe à l'élimination des toxines. Nombre d'études prétendent qu'elle préviendrait le cancer. Voici trois propositions de recette :

● Lavez les tomates fraîches puis équeutez-les et coupez-les en rondelles. Disposez-les sur l'assiette en les faisant légèrement se chevaucher. Assaisonnez d'1 à 2 cc de vinaigre balsamique et d'1 cc d'huile d'olive. Garnissez de feuilles de basilic fraîches.

74

● Disposez les tomates sur une feuille d'aluminium. Salez et poivrez légèrement et ajoutez une branche de thym. Bouclez votre petit paquet et enfournez-le 20 minutes à 200 °C (air pulsé 175 °C) après un préchauffage.

● Lavez les tomates puis équeutez-les. Coupez-les en morceaux et passez-les au mixeur. Assaisonnez de sel, poivre et d'1 à 2 cc de vinaigre de vin rouge. Garnissez de feuilles de basilic. Buvez le mélange froid ou chaud.

Une ode au poisson

Le poisson devrait être intégré à vos nouvelles habitudes et vous devriez en consommer trois fois par semaine. Il est riche en protéines nécessaires à la combustion des graisses. Le poisson de mer apporte des acides gras précieux, les oméga 3, excellents pour la protection du cœur et des nerfs, ainsi que de l'iode. La glande thyroïde a besoin d'iode pour produire les hormones minceur.

Les conseils du poissonnier

➤ Vous n'aimez pas les arêtes ? Mauvais prétexte car le colin, le sandre, la perche de mer et la sole en sont presque dépourvus. Le saumon et le cabillaud ne comportent pas d'arêtes gênantes et fines. En revanche, nous vous déconseillons le rouget, la perche d'eau douce, la carpe et le flétan.

Aide de **contrôle du régime**

Vérifiez comme d'habitude que vous n'avez rien oublié dans le déroulement du régime :

PETIT-DÉJEUNER
Exercice de respiration (page 46)
Jogging à jeun (page 62)
Cocktail protéique (page 62)
Poisson ou soupe au chou

DÉJEUNER
Soupe magique
Poisson ou volaille avec des tomates
Exercice de respiration

ENCAS DE L'APRÈS-MIDI
Soupe magique
Exercice de musculation (page 56)
Boisson brûleuse de graisse

DÎNER
Soupe magique
Poisson ou volaille avec des tomates
Exercice de respiration

Le cabillaud, le carrelet, l'églefin et le brochet sont des poissons maigres. Une portion de 150 g ne contient pas plus de 120 calories.

75

➤ Les poissons riches en iode sont le sébaste, le cabillaud, le carrelet, le lieu noir et l'églefin.

➤ La roussette fumée, le maquereau et le hareng apportent un maximum d'oméga 3.

➤ Les poissons adaptés aux sushis sont le thon, le saumon et la perche de mer.

➤ Si vous voulez préparer un dîner aux chandelles, vous pouvez choisir entre le sandre, le saumon, la truite saumonée, le carrelet, la sole, le loup de mer, le colin, le flétan et le turbot.

Vous pouvez observer vous-même les résultats. Le jeu en vaut la chandelle.

Les premiers résultats

Comment vous sentez-vous ? Avez-vous constaté la disparition de quelques rondeurs ?

La journée qui s'annonce est moins astreignante. La soupe au chou sera accompagnée de volaille – ou de poisson – et de légumes à volonté. Vous pouvez avaler dès le matin un morceau de volaille sans graisse, c'est-à-dire sans peau. Buvez en même temps un peu de jus de citron pour que votre organisme exploite au mieux les protéines.

Même procédure que les jours précédents...

➤ Comme d'habitude pensez à : la respiration, au jogging et au travail musculaire. Buvez, buvez et buvez encore et n'oubliez pas les cocktails protéiques et les boissons brûleuses de graisse.

➤ Ah ! Oui ! J'avais presque oublié notre mémorable soupe au chou. Surtout ne soyez pas tenté de la laisser de côté aujourd'hui. Mixez-la plutôt et dégustez-la en boisson. Mais dans votre cas, cela ne pose sans doute aucun problème, car aussi curieux que cela puisse paraître, vous ne pouvez plus vous en passer. Mon mari la cuisine toujours et mon ostéopathe en apporte tous les jours au cabinet depuis quatre mois.

Aujourd'hui la soupe au chou est accompagnée

➤ Emportez votre soupe au chou au bureau – et si vous le souhaitez, vous êtes même autorisé à lui ajouter un peu de blanc de poulet, quelques crevettes ou bien des morceaux de poisson en la réchauffant. Vous verrez, c'est absolument délicieux et vous ferez un formidable plein de protéines. Les crevettes ont du cholestérol ! ? Ne vous inquiétez pas car la semaine de soupe au chou a

fait un sérieux nettoyage des artères. Aussi longtemps que vous vous activez et que vous vous nourrissez convenablement – beaucoup de fruits et légumes, peu de graisse animale (charcuterie ou rôti) et en revanche une bonne quantité d'huiles végétales – le cholestérol ne représente aucun risque dans votre alimentation. Votre médecin vous le confirmera certainement.

Un bon dîner en perspective

➤ Préparez-vous une bonne poêlée de poulet. Vous pouvez remplacer le poulet par du poisson, un filet de cabillaud ou de perche par exemple.

Aide de contrôle du régime

Vérifiez encore aujourd'hui que vous n'avez rien oublié dans le déroulement du régime :

PETIT-DÉJEUNER
Exercice de respiration (page 46)
Jogging à jeun (page 62)
Cocktail protéique (page 62)
Légumes

DÉJEUNER
Soupe magique
Poêlée de poulet
Exercice de respiration

ENCAS DE L'APRÈS-MIDI
Soupe magique
Exercice de musculation (page 56)
Boisson brûleuse de graisse

DÎNER
Soupe magique
Poisson ou volaille avec légumes ou salade
Exercice de respiration

77

Poêlée de poulet

100 g de blanc de poulet
100 g de haricots mange-tout
1/2 poivron rouge
2 petits oignons
40 g de pousses de soja
1 à 2 cs de sauce soja
3 cs de bouillon de légume
1 cc d'huile
Poivre noir et sel

1. Découpez le blanc de poulet en morceaux fins. Versez 1 cs de sauce soja et le poivre dans un plat et laissez la viande mariner 5 minutes dans ce mélange.

2. Nettoyez les haricots mange-tout et faites-les cuire 2 minutes dans de l'eau salée puis trempez-les dans l'eau froide. Lavez le poivron et coupez-le menu. Lavez les oignons puis émincez-les. Versez les pousses de soja dans un tamis et passez-les sous l'eau froide avant de les égoutter.

3. Enduisez d'huile une poêle à revêtement et faites la chauffer. Faites dorer la viande 3 à 4 minutes. Retirez-la du feu et maintenez-la au chaud. Faites revenir les légumes et les pousses de soja 4 à 5 minutes en remuant continuellement. Arrosez de bouillon et assaisonnez de sauce soja et de poivre.

78

Des légumes,
encore des légumes
et toujours des légumes.
Pensez à en déguster 5
portions par jour.
Rien de meilleur
pour la santé.

effort, car c'est votre dernier jour de régime. Vous reprendrez ensuite une vie normale où le plaisir retrouvera sa place. Cette semaine aura eu le mérite de vous faire prendre conscience que bien manger est indispensable à votre équilibre, que la bonne nourriture est source d'énergie et permet à votre corps et à votre esprit de donner le meilleur d'eux-mêmes. Avec une aussi belle perspective, vous parviendrez sans aucun doute à surmonter cette dernière journée.

➤ Les légumes figurent à la carte du jour (référez-vous aux pages 68 et 69). Et pour le déjeuner et/ou le dîner vous avez même droit à un risotto. Vous pouvez également ajouter d'autres légumes au risotto : tous ceux dont vous avez envie ! Mais avalez d'abord une bonne assiette de soupe.

Quand pourrai-je enfin monter sur la balance ?

Réprimez ce soir une dernière fois votre envie de monter sur la balance. Demain vous pourrez satisfaire votre curiosité. Mais les femmes doivent être vigilantes si elles sont à la fin de leur cycle menstruel et ne pas s'exposer aux frustrations. Vous connaissez certainement cet écart habituel de poids et il vous suffit d'en tenir compte.

Et maintenant, le dernier sprint

➤ Respectez le rituel une dernière fois : respirez, courez, buvez les boissons adaptées et de l'eau, préparez les légumes, faites une salade, entraînez vos muscles, etc.

➤ Si vos réserves de soupe sont épuisées, préparez-en de nouveau mais en adoptant cette fois votre recette favorite.

Préférée ? Heum, heum ! Vous arrivez à saturation ? C'est compréhensible. Mais fournissez un ultime

Risotto aux champignons

1 petit oignon
1 petite gousse d'ail
2 carottes
75 g de rosés des prés et 75 g de champignons de Paris
5 brins de persil
80 g de riz brun cuisson rapide
175 ml de bouillon de légume chaud

1 cc d'huile d'olive
1 cc de jus de citron
Sel, poivre noir

1 Épluchez les oignons et les gousses d'ail
et coupez-les menu. Faites revenir l'huile dans
un fait-tout et blondir l'ail et l'oignon auxquels
vous ajoutez ensuite le riz en le laissant
lui aussi blondir. Versez le bouillon chaud.
Faites bouillir puis poursuivez la cuisson
à feu doux 20 à 25 minutes.

2 Épluchez les carottes et coupez-les
en rondelles fines. Nettoyez les champignons
puis émincez-les. Mélangez les légumes au riz
après que celui-ci ait cuit 10 minutes.
Remuez régulièrement.

3 Lavez le persil puis égouttez-le et coupez
les feuilles. Assaisonnez le risotto de sel,
poivre et de jus de citron et ajoutez le persil.

Risotto
aux champigons

Aide de **contrôle du régime**

Vérifiez pour la dernière fois que vous n'avez
rien oublié dans le déroulement du régime :

PETIT-DÉJEUNER

Exercice de respiration (page 46)
Jogging à jeun (page 62)
Cocktail protéique (page 62)
Légumes

DÉJEUNER

Soupe magique
Salade ou légumes
Exercice de respiration

ENCAS DE L'APRÈS-MIDI

Soupe magique
Exercice de musculation (page 56)
Boisson brûleuse de graisse

DÎNER

Soupe magique
Risotto aux champignons
Exercice de respiration

Vous avez tenu bon
jusqu'au dernier jour
de régime.
Les 77 conseils magiques
à partir de la page 106,
de même que
les 7 formules magiques
(cf. page 44)
vous aideront à garder
la ligne. Vous pouvez
également poursuivre
en optant pour le régime
alterné (page 88).

Votre ceinture vous serre, vous avez encore quelques kilos à perdre ou bien avez-vous tout simplement le sentiment que votre organisme a été purgé de ses toxines ? Rien ne vous empêche de poursuivre votre régime avec un week-end magique. Cela vous permettra de perdre jusqu'à un kilo par jour et d'éliminer l'excédent d'eau. La soupe au chou est le moyen le plus efficace de contrôler votre poids. Si après les jours de bonne chair, l'aiguille de la balance indique une prise de poids, il vous suffit d'enchaîner avec deux jours de soupe au chou, et tout rentrera dans l'ordre.

Commencez dès le vendredi

Choisissez une des recettes de soupe au chou proposées par les grands chefs cuisiniers et préparez la liste des aliments à acheter.

Aperçu rapide du week-end magique

VENDREDI

Dîner
➤ Ne mangez plus rien à partir de 16 heures (page 89)
➤ Exercice de respiration (page 46) pour évacuer le stress de la semaine
➤ Préparation de la soupe au chou
➤ Boire une tisane de millepertuis

SAMEDI

Petit-déjeuner
➤ Exercice de respiration (page 46)
➤ Jogging à jeun (page 62)
➤ Soupe au chou
➤ Légumes crus

Déjeuner
➤ Soupe magique
➤ Exercice de respiration

Encas de l'après-midi
➤ Exercice de musculation (page 56)
➤ Boisson brûleuse de graisse

Dîner
➤ Soupe magique
➤ Exercice de respiration

DIMANCHE

Petit-déjeuner
➤ Exercice de respiration (page 46)
➤ Jogging à jeun (page 62)
➤ Salade de fruit et babeurre ou soupe au chou

Déjeuner
➤ Soupe magique
➤ Exercice de respiration

Encas de l'après-midi
➤ Exercice de musculation (page 56)
➤ Boisson brûleuse de graisse

Dîner
➤ Soupe magique
➤ Exercice de respiration

➤ N'oubliez pas de boire un minimum de 3 litres d'eau minérale non gazeuse et des tisanes – sans ajout de sucre.

➤ Dès que vous avez faim, servez-vous de soupe au chou. Plus vous en consommerez, plus vous perdrez de poids.

end magique

Ce que vous devez acheter

➤ les ingrédients pour la soupe au chou de votre choix.

➤ les ingrédients pour la boisson brûleuse de graisse du samedi et du dimanche.

➤ les fruits et les légumes de la saison – en tenant compte de l'indice glycémique des aliments (cf. page 82). Plusieurs citrons pour l'eau minérale.

➤ de l'eau minérale (non gazeuse), des tisanes aux fruits et aux herbes et des jus de fruits diététiques. - achetez-vous en pharmacie de la tisane de millepertuis.

Ce que vous devez avoir à la maison :

➤ Des chaussures adaptées pour votre jogging ou marche du matin – ou bien un trampoline.

➤ Une bande latex (on en trouve dans les magasins de sport) pour les exercices de musculation.

➤ Une dose de poudre protéique. Pour ceux qui n'en veulent pas, le babeurre ou le kéfir feront l'affaire.

Cuisinez le soir et sautez le dîner

➤ Préparez dès le vendredi soir une grande marmite de soupe au chou – une recette couvre deux jours. Mettez le CD de votre musique favorite et lancez-vous joyeusement dans l'épluchage des légumes.

➤ Très important : annulez votre dîner du vendredi soir (page 89). Ne mangez plus rien à partir de 16 heures. Vous pourrez ainsi, grâce à votre activité sportive du matin à jeun brûler les molécules de graisse qui circulent dans votre sang.

➤ Si vous avez faim le soir, buvez de la tisane. Mais pas plus d'1 à 2 tasses. Les infusions d'herbes et de tisanes aux fruits sont de bons coupe-faim.

Une marmite de soupe magique
– et rien qu'à la humer,
vos kilos fondent.

Quels fruits et légumes choisir ?

Choisissez les fruits
et légumes adaptés
à votre régime
du week-end.
Évitez ceux dont l'indice
glycémique est élevé.

Alors que pendant la première semaine
de régime, il importe peu que vous mangiez
des fruits et des légumes dont l'indice
glycémique est élevé (à partir du moment
où vous ne les associez jamais à la graisse),
vous devez vous limiter strictement pendant
le week-end magique aux aliments dont le GLYX
est bas. Vous sortirez ainsi plus rapidement
du fameux cercle vicieux : le sucre produisant
des hormones qui nous font grossir.

LÉGUMES

GLYX bas

Le samedi, vous pouvez manger à volonté les
légumes ci-dessous indiqués :

Tomate 15
Légumes verts, aubergine et courgette,
céleri, oignons < 15
Carottes crues 30
Haricots verts 38

GLYX élevé

Ces légumes sont interdits pendant le week-
end magique :

Carottes cuites 85
Potiron 75
Betterave rouge 64
Maïs 55
Petits pois

FRUITS

GLYX bas

Préparez-vous le dimanche matin un bon bol de
salade de fruits. Vous avez le choix parmi ceux-là :

Cerises 22
Prunes 24
Pamplemousse 25
Baies (fruits rouges) 30
Poire 36
Pomme 38
Pêche 42
Orange 43
Raisin 43

GLYX élevé

Ne mangez pas les fruits ci-dessous indiqués
pendant le week-end magique :

Pastèque 72
Ananas 66
Melon 65
Banane mûre 62
Papaye 58
Abricot 57
Mangue 55
Kiwi 53

end magique

Et le samedi matin ?

➤ Lorsque vous vous réveillez, que vous baillez et vous étirez, buvez le grand verre d'eau minérale plate (0,3 – 0,4 l) posé sur votre table de nuit. Il déclenche le réflexe gastrocolique et vous vous précipitez aux toilettes 10 minutes plus tard.

➤ Entre-temps faites l'exercice de respiration de la page 46.

Nouez vos lacets

… avant même de boire votre café du matin – et si vous vous en sentez capable, vous pourriez d'ailleurs supprimer complètement le café pendant le week-end.

➤ Partez une demi-heure au grand air. La lumière active la production de l'hormone du bonheur, la sérotonine, excellente pour le moral et coupe-faim naturel. En outre, l'activité physique à jeun accélère l'élimination des toxines et permet de brûler toutes les molécules graisseuses qui ont sollicité l'hormone de croissance la nuit précédente, depuis les hanches jusque dans le sang. Vous pouvez faire du vélo, marcher ou bien courir (cf. page 54). Si le temps ne s'y prête pas où que vous n'aimez pas mettre le nez dehors, alors rebondissez 15 à 20 minutes sur un trampoline.

Depuis le matin tôt jusqu'à midi

➤ Même si cela ne fait pas partie de vos habitudes, dégustez une bonne assiette de soupe magique au petit-déjeuner.

➤ Afin d'avoir toujours de quoi grignoter sous la main lorsque vous avez un petit creux, épluchez et coupez menu ou en lamelles quelques légumes après le petit-déjeuner – carottes, radis

Appelez une amie :
c'est beaucoup plus agréable
de courir à deux.

blanc, concombre, petits radis, poivrons, fenouil et tomates. Ils vous accompagneront toute la journée.

➤ Disposez un peu partout chez vous des bouteilles d'eau minérale. Cela vous rappellera qu'il faut boire encore et toujours, et pas moins de 1,5 litre dans la matinée. Pensez à presser un demi-citron dans chaque verre. La vitamine C de ce fruit favorise la combustion des graisses.

Le cocktail brûleur de graisse

100 g de baies (fruits rouges)
0,2 l de babeurre ou de petit-lait
Jus de limette
2 cc de pulpe d'argousier
2 cs de lait de coco non sucré
Si vous le désirez : 2 cs de poudre protéique

● Versez tous les ingrédients dans un mixeur. Couvrez-le et mettez-le en route à forte puissance pendant 15 secondes. Servez la boisson dans un grand verre et garnissez de feuilles de menthe.

Et le soir...

… réchauffez une bonne assiette de soupe au chou. Si vous avez prévu de sortir chez des amis ou de vous rendre à une fête, alors pensez à emporter une bouteille thermos pleine de soupe. Vous pouvez en boire à volonté jusqu'à l'heure du coucher.

Surtout n'oubliez pas de boire continuellement. Si vous n'avez rien prévu ce soir, accordez-vous un moment agréable en buvant de la tisane.

➤ Diluez une fois par jour un comprimé de calcium dans un verre d'eau, et avalez un comprimé de magnésium. Ces deux minéraux participent également à la combustion des graisses.

➤ Réchauffez la soupe au chou pour le déjeuner – et avalez-en une assiette pleine si vous le pouvez. Plus vous en consommerez, plus vous purgerez votre organisme de ses toxines.

Pensez à vos muscles et à la boisson protéique

➤ 10 minutes suffisent pour faire travailler les muscles, lesquels pourront ainsi continuer à brûler des graisses même au-delà du week-end. Reportez-vous à la page 56.

➤ Buvez ensuite la boisson brûleuse de graisses. Vos muscles ont besoin de protéines.

PLUS DE VENTRE

Lorsque nous maigrissons, nous aimons voir les résultats – mais parfois nous sommes ballonnés et nous gardons du ventre.
Les bactéries intestinales n'apprécient pas beaucoup la présence des fibres et il est donc normal que votre ventre se bombe lorsque vous absorbez de la soupe au chou. Les fibres font travailler durement les bactéries intestinales, lesquelles produisent des gaz.
Vous n'êtes pas sans recours face aux bactéries qui dansent la chamade. Suivez les conseils suivants :

La journée du dimanche

➤ Commencez cette nouvelle journée en avalant encore votre verre d'eau, puis faites vos exercices de respiration et votre petit tour habituel : 30 minutes à jeun au grand air ou bien 15 minutes sur un trampoline.

➤ Préparez-vous ensuite un grand bol de salade de fruits après avoir bu un verre de babeurre – en ajoutant si vous le souhaitez 2 cuillerées à soupe de poudre protéique. Vous préférez la soupe au chou ? Pas de problème ! Laissez-vous aller à votre envie et calez ainsi vos petits creux jusqu'au déjeuner.

➤ Un conseil si vous êtes en déplacement : mixez votre soupe au chou et emportez-la avec vous. Même en route, il vous sera toujours possible d'en boire.

➤ Ménagez-vous une petite pause l'après-midi pour faire travailler vos muscles en reprenant les exercices expliqués page 56. Puis préparez-vous une boisson brûleuse de graisse. Vous retrouverez pour le dîner la soupe au chou à volonté.

➤ Il est préférable de consommer le midi les légumes occasionnant des ballonnements comme le poivron cru et les oignons. Ne mangez pas trop de légumes crus le soir.

➤ Les tisanes de cumin, de fenouil et d'anis apaisent les ballonnements et les crampes.

➤ Massez-vous le ventre doucement avec des mains chaudes, dans le sens des aiguilles d'une montre.

➤ Un massage avec une petite brosse à poils doux favorise la circulation sanguine et raffermit les tissus conjonctifs du ventre.

Plongez-vous dans la baignoire

Un bain aux herbes et au miel accélère la circulation sanguine et aide l'organisme à éliminer les toxines. Et en prime, il raffermit la peau. La recette : 100 g de feuilles de mûres sauvages (en pharmacie) infusés 10 minutes dans une tasse d'eau bouillante. Savonnez-vous ensuite avec le mélange. Décoction : 1 cuillerée à café de miel à laquelle vous ajoutez 5 gouttes d'huile essentielle de lavande. Versez la décoction dans l'eau chaude du bain. Détendez-vous dans la baignoire 15 minutes – et de là dirigez-vous vers votre lit bien chaud.

Le lundi matin, vous vous sentirez beaucoup plus léger – et si vous en avez envie, vous pouvez monter sur la balance. Alors ? Satisfait ?

85

Un ultime effort pour la beauté des formes

> Le régime alterné est simple, pas du tout stressant et délicieux. Grâce à lui, vous pourrez dire adieu à vos dernières rondeurs. Si vous souhaitez perdre encore quelques kilos, adoptez-le pendant une ou deux semaines. Vous éviterez ainsi de subir l'effet yo-yo. En outre, si vous tenez compte des 77 conseils magiques à partir de la page 106, vous ne reverrez jamais les rondeurs que vous aurez chassées. On parie… ?

➤ Alternance signifie qu'après une journée de soupe au chou suit une journée brûleuse de graisses. Ce jour-là, vous mangez « normalement » pour ainsi dire, mais seulement des aliments qui font mincir.

➤ Nourrissez-vous également de légumes pendant les jours de soupe au chou – à l'instar de la seconde journée de la semaine magique (cf. page 66). Vous mangerez en alternance des fruits et légumes à volonté – selon les recettes expliquées à partir de la page 92.

➤ Les recettes proposées pour le déjeuner et le dîner sont interchangeables. Vous avez même la possibilité d'intervertir les jours. Et si l'un des plats vous plaît particulièrement, n'hésitez pas à le reprendre.

➤ Buvez trois litres par jour d'eau minérale avec du jus de citron – 1/2 dans chaque verre. Les jus de légumes et les tisanes non sucrées sont aussi recommandés. Vous avez droit le soir à un petit verre de vin sec.

➤ Activez-vous physiquement pendant ces journées (cf. page 54) !

Comment expliquer l'efficacité de l'alternance ?

Lorsque l'organisme absorbe longtemps une quantité réduite de calories, il réagit en mettant en route son programme « économique » : le métabolisme ralentit et le corps brûle moins de graisse. Si l'on recommence à manger plus, nous grossissons un peu parce que l'organisme poursuit le programme « économique ».

Lorsque sur le court terme, nous mangeons « tantôt beaucoup » et « tantôt peu », la réaction de notre corps est plus calme et moins radicale. À l'âge de

Alternance signifie déguster et ne pas vivre dans la privation ! Après une journée de soupe au chou, le palais aspire à la dégustation de légumes qui vous font maigrir pendant que vous mangez.

pierre, il était normal de manger peu certains jours et beaucoup plus le jour suivant, lorsque la chasse avait été bonne.

Pendant le régime alterné, votre organisme ne met pas en route son programme « économique » et le métabolisme garde le même rythme. Vous pouvez tout à fait poursuivre ce régime une à deux semaines.

SUPPRESSION DU DÎNER

« Laisse le dîner à ton ennemi » : c'est le propos d'un ancien proverbe chinois. Aujourd'hui, les spécialistes de la nutrition recommandent souvent de se passer de dîner deux à trois fois par semaine. On ne mange plus rien à partir de 16 heures et l'on boit uniquement de la tisane.

L'effet produit : les kilos fondent plus rapidement, ce qui préserve aussi la jeunesse physique. Pendant une phase prolongée de jeûne, les organes se régénèrent pleinement. La combustion des graisses est maximale, et l'hormone de croissance (STH) qui élimine les graisses et développe les muscles dispose de plus de temps pour effectuer son œuvre. L'organisme produit plus de mélatonine. Cette hormone nocturne nous aide à nous régénérer et à rester jeune. Reportez-vous à l'interview ci-contre.

Il est conseillé de supprimer le dîner lors des journées de combustion des graisses, mais si vous avez faim, vous pouvez tout de même manger un peu, à condition de ne pas le faire après 16 heures.

Interview avec le professeur Johannes Wagner

Que signifie régime alterné ?

Le principe est de manger comme un homme à l'âge de pierre. Un jour il se nourrissait de racines et le lendemain dévorait un mammouth. Si vous absorbez peu de calories certains jours et que vous vous nourrissez normalement, mais de manière saine le lendemain, le corps ne perçoit aucun manque. Il ne voit aucune raison de mettre en route son programme économique. Les kilos disparaissent et vous êtes à l'abri de l'effet yo-yo.

Le régime alterné est-il également adapté aux personnes qui ont fortement réduit leur consommation de calories au fil de nombreux régimes ?

Oui, nous avons de bons résultats à la clinique, même chez ceux qui souffrent de forte surcharge pondérale. Le régime alterné permet d'entraîner de nouveau le métabolisme. Mais il faut également faire travailler ses muscles.

Comment résumeriez-vous ce régime dans la pratique ?

C'est un principe génial : on supprime le dîner et l'on se nourrit de soupe au chou à volonté. Celle-ci fournit au corps tous les minéraux importants, vitamines et substances végétales secondaires, dont il a besoin. Le lendemain, on s'alimente normalement, mais sainement – en essayant d'éviter le sucre, la farine blanche et les graisses. On supprime le dîner deux fois par semaine et l'on ne boit plus que de la tisane de millepertuis à partir de 16 heures, car elle calme l'estomac.

Le professeur Johannes Wagner est endocrinologue et il dirige le département hormonal de la clinique du château Abtsee à Laufen. Il est spécialisé dans les domaines « anti-âge » et « surcharge pondérale ».

L'activité physique et une alimentation saine favorisent la production de l'hormone de croissance et vous font mincir pendant votre sommeil.

Pas de dîner ? et pourquoi cela ?

Lorsque nous n'absorbons plus aucune calorie à partir de 16 heures, nous entrons, entre minuit et une heure du matin, dans la phase active de l'hormone de croissance (STH) avec un taux réduit de sucre dans le sang. Or c'est le stimulus le plus efficace pour produire davantage d'hormone de croissance.

Cela nous fait-il maigrir pendant le sommeil ?

L'hormone de croissance STH est alors en situation de mettre en route la lipolyse, c'est-à-dire la combustion des graisses. Chez ceux qui ont la bonne idée d'aller marcher ou courir le lendemain avant le petit-déjeuner, les acides gras qui ont été libérés pendant la nuit sont alors éliminés : il en résulte un formidable effet minceur.

Devons-nous nous activer physiquement ?

Oui, c'est impératif. Sans activité physique, la graisse reste sur le corps.

Combien de kilos pouvons-nous perdre en supprimant le dîner et en consommant de la soupe au chou ?

Deux kilos de masse graisseuse véritable par semaine en plus d'un excédent d'eau. La suppression du dîner fait augmenter le taux de mélatonine. Cette hormone veille sur notre sommeil et notre jeunesse, libérant alors la coenzyme inoffensive de la digestion, NAD, qui prévient le cancer.

Pourquoi, en suivant le même régime, certains perdent-ils 4 kg par semaine, alors que d'autres en éliminent deux malheureux petits, voire moins ?

Ce phénomène est hormonal. La graisse ne s'accroche pas seulement mollement à nous. C'est un tissu qui réagit aux hormones et produit lui-même des hormones. Une personne dont le taux hormonal est équilibré maigrit plus facilement.

Quelles hormones participent au métabolisme des graisses ?

Le tissu adipeux est sous la protection de l'insuline. Impossible d'éliminer des graisses aussi longtemps que nous avons de l'insuline dans le sang. Deux heures après l'absorption d'aliments, la combustion des graisses est bloquée. Surtout lorsque nous mangeons du sucre et de la farine blanche ou que nous buvons sucré.

La testostérone et l'adrénaline président-elles également à la minceur ou au surpoids ?

Nous sommes à l'âge de pierre. Un ventre protège le chasseur vieillissant, dont le taux de testostérone est en baisse. Son petit ventre de secours contient une réserve d'énergie qui l'aide lors de la chasse, ou bien lorsqu'il prend la fuite. Ce sont deux situations pendant lesquelles le corps produit de l'adrénaline pour mobiliser le tissu graisseux. L'adrénaline associée à l'activité physique consume les molécules graisseuses. Comme cela faisait partie de l'emploi du temps de l'homme à l'âge de pierre, il reconstituait continuellement son petit ventre de secours : l'adrénaline incite les molécules graisseuses à sortir des cellules adipeuses et les envoie se faire consumer dans les petits fourneaux des muscles.

Nous ne vivons plus à l'âge de pierre…

Précisément. Nous courons de temps à autre dans la forêt, mais aucun ours ne nous poursuit, qui mobiliserait notre adrénaline. Lorsque nous nous énervons, nous restons assis. L'adrénaline concorde rarement avec l'activité physique, ceci explique que nous ne brûlons plus les graisses.

Que pouvons-nous faire ?

Disposez un mini-stepper dans votre bureau, et lorsque vous êtes victime du stress, activez-vous dessus.

Certaines personnes disent : le yaourt me fait grossir, moi c'est le chocolat et moi c'est la charcuterie…

Nous avons 5 % d'individus qui jurent leurs grands dieux qu'ils font tout ce qu'ils peuvent, mais ne perdent pas un gramme. Ce phénomène dissimule ce que nous nommons une « intolérance alimentaire sur la base IgG (immunoglobuline G) ».

Les plats favoris font donc grossir ?

Exactement. On se dit : j'ai besoin de saumon fumé, d'une pomme, de pain de seigle et de yaourt pour pouvoir vivre. Or le corps produit des anticorps IgG

Vous êtes sous la pression du stress ? Utilisez donc votre adrénaline pour brûler les graisses. Sautez à la corde ou bien faites du mini-stepper.

contre ces aliments. Si nous n'en consommons pas, nous nous sentons mal. En revanche, tout va très bien lorsque nous en mangeons.

Pourquoi cela fait-il grossir ?

Les anticorps IgG empêchent la lipolyse et bloquent les cellules adipeuses, exactement comme l'insuline. C'est surprenant la manière dont nous pouvons perdre du poids quand nous éliminons ces aliments pendant six semaines.

Extrait d'une interview menée par l'auteur pour la revue BUNTE.

Petit-déjeuner

Porridge de millet à l'orange

30 g de millet
1 orange
75 g de yaourt allégé
1 cc de sirop d'érable
1 pointe de cannelle
1 cc de graines de pistache

❶ Lavez le millet dans un tamis. Faites le cuire dans 60 ml d'eau, couvert, à feu doux pendant 15 minutes.
❷ Pelez l'orange en ôtant peau, filaments et pépins puis récoltez le jus.
❸ Retirez le millet du feu et mélangez-le au yaourt, au sirop d'érable, à la cannelle, au jus et à la chair d'orange. Versez la bouillie de millet dans une assiette creuse. Broyez les pistaches et saupoudrez-les sur l'assiette.

Encas

Sandwichs relevés au radis blanc

● Salez des deux côtés 4 tranches de radis blanc de 0,5 cm d'épaisseur. Tartinez 2 tranches de radis d'1 cs de fromage frais (6 à 8 % de MG) mélangé à 1 cc de sauce chili. Saupoudrez d'1/2 cc de ciboulette puis couvrez les tranches tartinées avec les deux autres tranches.

Déjeuner

Cœurs de salade à la rémoulade de yaourt

2 cœurs de salade bien fermes
1 tomate
2 cs de jus de citron
Sel aux herbes
1 œuf dur
2 cc d'huile de tournesol
100 g de yaourt allégé
1 cc de câpres
2 cc de bouillon de câpres
5 tiges de ciboulette
2 branches de persil
4 feuilles de basilic

❶ Dégagez les cœurs de salade des grandes feuilles puis coupez-les en deux dans la longueur, lavez-les et essorez-les bien. Lavez les tomates et équeutez-les. Coupez-les en quartiers, évidez-les puis coupez-les menu.
❷ Présentez les cœurs de salade sur une grande assiette et disposez les morceaux de tomate dessus. Assaisonnez d'1 1/2 cs de jus de citron, de sel aux herbes et de poivre.
❸ Pour la rémoulade, pelez l'œuf et coupez-le en deux. Ôtez le jaune auquel vous ajoutez l'huile pour en faire une pâte. Mélangez le yaourt, 1 cs d'eau et le reste de jus de citron. Hachez menu les câpres et le blanc d'œuf et ajoutez-les au yaourt, de même que le bouillon de câpre.
❹ Lavez et égouttez la ciboulette et coupez-la menu. Lavez et égouttez le persil, ôtez les feuilles et coupez-les menu en même temps que le basilic.

Ajoutez les fines herbes au yaourt et assaisonnez-le de sel et de poivre. Étalez la rémoulade sur les cœurs de salade. Dégustez le tout avec du pain de seigle.

Dîner

Filet de cabillaud aux épinards

200 g d'épinards
1 échalote
1 petite gousse d'ail
3 cc d'huile d'olive
Sel
Poivre noir
4 petits champignons de Paris (environ 50 g)
150 g de filet de cabillaud
1 tranche de citron (non traité)
2 cc de jus de citron
3 brins d'aneth

1 Triez les épinards, lavez-les bien puis équeutez-les grossièrement. Épluchez échalote et gousse d'ail et coupez-les menu.

2 Faites revenir dans une poêle 1 cc d'huile d'olive et blondir l'échalote et l'ail. Ajoutez les épinards trempés en les laissant s'affaisser, couverts, pendant 2 à 3 minutes. Salez et poivrez.

3 Préchauffez le four à 225 °C. Enduisez d'1 cc d'huile une feuille d'aluminium de 30 x 30 cm, sur laquelle vous disposez les épinards égouttés. Lavez rapidement les champignons, équeutez-les puis émincez-les. Répartissez-les sur les épinards. Disposez le filet de cabillaud par-dessus. Salez légèrement et poivrez. Ajoutez la tranche de citron sur le poisson. Assaisonnez le tout de jus de citron et du restant d'huile d'olive.

4 Refermez la papillote et déposez-la sur une plaque à pâtisserie que vous enfournez environ 15 minutes (sur 4 pour les fours à gaz, à 200 °C pour les fours à air pulsé).

5 Passez l'aneth sous l'eau froide, ôtez les feuilles et hachez-le menu. Après la cuisson, ouvrez la papillote et saupoudrez l'aneth sur les aliments.

Dégustez ce plat avec du pain complet.

➤ Une variante rapide : Vous pouvez remplacer les épinards frais par des épinards surgelés. Laissez-les décongeler pendant la nuit, puis pressez-les légèrement.

Délicieux filet
de cabillaud aux épinards
cuit en papillote.

93

BONNES HUILES

Les huiles indiquées sont des propositions. Vous pouvez évidemment utiliser l'huile végétale que vous avez à la maison. Les huiles de noix, de colza et de germes de blé pressées à froid fournissent des acides gras essentiels. Ces huiles délicates sont très sensibles à la chaleur et doivent être principalement utilisées en salade.

94

Petit-déjeuner

Pâte à tartiner au chou-rave et graines de tournesol

1 cc de graines de tournesol
40 g de fromage blanc allégé
2 cc de jus de citron
1/2 cc d'huile de noix
Sel et poivre noir
1/4 de chou-rave (environ 60 g)
2 branches de persil
1 tranche de pain complet

1 Faites revenir et dorer, à feu moyen, les graines de tournesol dans une petite poêle.
2 Mélangez le jus de citron et l'huile de noix au fromage blanc. Salez et poivrez.
3 Épluchez le chou-rave et râpez-le grossièrement. Lavez le persil, effeuillez-le et hachez-le menu. Ajoutez le chou-rave et le persil au fromage blanc et assaisonnez le tout de sel et de poivre. Étalez la pâte sur du pain complet et saupoudrez de graines de tournesol grillées.

Encas

Fraises au fromage blanc vanillé

● Lavez 125 g de fraises en laissant les queues. Mélangez 3 cs de fromage blanc (0 % MG), 1 cs de lait écrémé et 1/4 de cc de vanille concassée. Trempez les fraises dans le mélange et dégustez.

Déjeuner

Salade de hareng aux poires et aux haricots verts

Sel
100 g de haricots verts
1 filet de hareng doux (environ 75 g)
1/2 petit oignon rouge
1/2 petite poire (environ 75 g)
2 cc de jus de citron
4 branches d'aneth
1 cs de vinaigre de vin blanc
Poivre noir
1 cs d'huile de colza pressée à froid
1 cs de crème fraîche (10 % MG)

1 Faites cuire de l'eau salée dans un fait-tout. Lavez les haricots verts et coupez les extrémités. Plongez-les ensuite dans l'eau bouillante pendant 5 à 7 minutes. Videz l'eau de cuisson et plongez-les dans de l'eau glacée. Coupez les haricots en deux.
2 Passez le filet de hareng sous l'eau froide, égouttez-le et découpez-le en morceaux de 2 cm de large. Épluchez les oignons, puis émincez-les. Prenez soin de bien laver la poire. Coupez-la en quartiers. Ôtez le cœur et les pépins, puis en lamelles que vous arrosez immédiatement de jus de citron pour les empêcher de noircir. Lavez l'aneth, égouttez-le et hachez-le.
3 Dans un petit plat, battez au fouet le vinaigre, le sel, le poivre, l'huile et la crème fraîche. Ajoutez les haricots, les oignons, les poires, le hareng et l'aneth. Assaisonnez de nouveau et laissez reposer 10 minutes. Dégustez ce plat avec du pain noir.

Dîner

Ragoût de pois cassés au gremolata

80 g de pois chiches (frais ou bien en boite)
1/2 petite courgette (environ 100 g)
1/2 poivron jaune ou rouge (environ 80 g)
1 petit oignon
1 gousse d'ail
2 cc d'huile d'olive
1 petit brin de romarin
Sel
Poivre noir
1 pointe de paprika relevé
175 ml de jus de tomate
75 ml de bouillon de légume
4 branches de persil
1/2 citron non traité

① Égouttez bien les pois chiches dans un tamis. Lavez la courgette et le poivron et coupez-les menu. Épluchez l'ail et l'oignon et coupez-les menu.

② Dans un fait-tout, faites revenir une moitié d'ail et l'oignon dans de l'huile d'olive. Versez ensuite les légumes et les pois chiches et faites-les revenir rapidement. Ajoutez une branche de romarin et assaisonnez de poivre, de sel et de poudre de paprika.

③ Mouillez avec le jus de tomate et le bouillon en cuisant lentement jusqu'à ébullition. Puis couvrez et laissez mijoter à feu doux pendant 10 à 12 minutes.

④ Lavez le persil, essorez-le et hachez-le menu. Passez le citron sous l'eau chaude, essuyez-le puis épluchez-le et coupez le zeste menu. Mélangez le persil, l'ail restant et le zeste de citron puis versez le tout dans le fait-tout et saupoudrez de gremolata. Servez avec de la baguette complète.

Le ragoût de pois chiches à la gremolata est un mélange relevé d'ail, de persil et de zeste de citron.

95

Mangue sur lit de fromage blanc à la noix de coco, garnie de menthe fraîche.

3 Ajoutez au fromage blanc le jus de limette, le concentré de poire et 2 cc de noix de coco râpée. Étalez le fromage blanc à la noix de coco sur une assiette plate et disposez joliment les lamelles de mangue dessus. Saupoudrez du restant de noix de coco et garnissez de menthe.

Encas

Jus de tomate aux fines herbes

● Coupez 2 tomates en petits morceaux. Hachez menu 1/4 de petit oignon rouge, 4 feuilles de basilic et 4 branches de persil. Mixez le tout et assaisonnez de sel et de poivre. Mouillez de 100 ml de fond de légume froid. Versez le tout dans un verre et ajoutez par-dessus 1 cc de yaourt allégé.

Petit-déjeuner

Mangue à la noix de coco sur lit de fromage blanc

1 cs de noix de coco râpée
1 petite mangue (250 g)
125 g de fromage blanc allégé
2 cc de jus de limette
1 cc de concentré de poire
1 branche de menthe

1 Faites rissoler la noix de coco râpée dans une poêle sans graisse, puis retirez du feu et laissez-la refroidir.
2 Épluchez la mangue et coupez la chair en lamelles.

Déjeuner

Blanc de poulet sur lit de choucroute

150 g de choucroute fraîche
1 cs de jus de citron
1 cc de miel d'acacia
Sel aux herbes
Poivre noir
1 cc d'huile de noix
1 carotte (environ 80 g)
50 g de raisin noir
2 noix (environ 5 g)
100 g de blanc de poulet
1 cc d'huile de tournesol
50 g de petit-lait maigre
1 cc de ciboulette

96

1 Aérez la choucroute, versez-la dans un petit plat et assaisonnez de jus de citron, de miel, de sel, de poivre et d'huile de noix.

2 Lavez la carotte, épluchez-la et râpez-la grossièrement. Passez le raisin sous l'eau froide, coupez les grains en deux et épépinez-les. Hachez grossièrement les noix. Mélangez les carottes, le raisin et les noix à la choucroute.

3 Tamponnez le blanc de poulet des deux côtés et poivrez-le des deux côtés. Enduisez une petite poêle à revêtement d'huile de tournesol que vous faites revenir. Saisissez la viande de chaque côté à feu moyen pendant environ 5 minutes. Retirez du feu, salez et laissez refroidir.

4 Présentez la choucroute sur une assiette. Ajoutez un soupçon de petit-lait dessus et saupoudrez de ciboulette. Découpez le blanc de poulet en fines tranches que vous disposez autour de la choucroute. Servez avec du pain complet.

Dîner
Nouilles revenues au tofu

2 cc de jus de limette
2 cc d'huile d'arachide
Sel
Poivre noir
1/2 cc de piment rouge coupé menu
100 g de tofu
50 g de nouilles chinoises fines aux œufs
1 petit oignon
1 carotte (environ 80 g)
4 champignons shiitake (environ 25 g)

50 g de pousses fraîches de soja
*   (communément appelées soja)*
1 morceau de gingembre (5 g)
1 cs de sauce soja
2 cs de bouillon de légume

1 Mélangez dans un petit plat creux le jus de limette, 1 cc d'huile d'arachide, le sel, le poivre et le piment. Coupez le tofu en petits morceaux et laissez-les mariner 30 minutes dans cette préparation.

2 Faites bouillir de l'eau salée et plongez les nouilles dedans pendant 2-3 minutes. Puis versez-les dans une passoire et égouttez-les convenablement.

3 Lavez et émincez l'oignon. Lavez et épluchez la carotte et coupez-la en fines lamelles. Nettoyez les champignons, équeutez-les puis émincez les chapeaux. Passez les pousses de soja sous l'eau froide, puis égouttez-les bien. Épluchez le gingembre et coupez-le en petits morceaux.

4 Faites revenir à forte température 1 cc d'huile dans une poêle à revêtement. Sortez le tofu de la marinade, égouttez-le brièvement et faites-le bien dorer dans l'huile bouillante pendant une à 2 minutes, de sorte qu'il soit croustillant. Retirez du feu.

5 Faites revenir progressivement en remuant le gingembre, l'oignon, la carotte, les champignons et les pousses de soja pendant 2 à 3 minutes. Versez les nouilles dans la poêle et mélangez bien le tout en remuant pendant 2-3 minutes. Ajoutez la marinade du tofu, la sauce soja et le bouillon et laissez cuire le tout. Assaisonnez de sel et de poivre.

Ce champignon asiatique aux arômes particuliers porte le nom de shiitake au Japon et de tongu en Chine.

CONSEIL

LA CUISSON

La cuisine asiatique utilise peu de graisse pour la cuisson. Utilisez une poêle antiadhésive ou bien un wok. Enduisez la poêle ou le wok d'huile à l'aide d'un pinceau et chauffez-la à forte température.

Un petit changement
dans vos habitudes :
dégustez une délicieuse
assiette turque
au fromage frais
pour le petit-déjeuner.

98

Petit-déjeuner

Assiette turque au fromage de chèvre

2 petites tomates
1 petit concombre non traité (environ 100 g)
Sel, poivre noir
50 g de fromage de chèvre doux (feta)
4 olives noires
1/4 de cc de poudre de paprika doux
2 tranches de baguette complète

❶ Lavez les tomates, équeutez-les
et coupez-les en rondelles de 0,5 cm
d'épaisseur. Lavez le concombre
puis coupez-le en rondelles.

Disposez tomate et concombre sur une assiette
en superposant légèrement les rondelles.
Assaisonnez de sel et de poivre.
❷ Coupez le fromage de chèvre en tranches
que vous disposez sur l'assiette avec les olives
et que vous saupoudrez doucement de paprika.
Servez avec les tranches de pain.

Encas

Salade de kiwis et d'ananas

● Épluchez un gros kiwi et coupez-le en 8. Coupez 2 tranches d'ananas en petits morceaux.
Mélangez les fruits et assaisonnez-les
d'1 cc de miel d'acacia. Ajoutez 4 feuilles
de mélisse coupées en lamelles.

Déjeuner

Gaspacho
aux croûtons

1 tranche de toast de pain complet
2 cc d'huile d'olive
200 g de tomates
1/2 gousse d'ail
1/2 poivron vert (environ 80 g)
1 cc de concentré de tomate
5 cs de fond de légume
1 cc de jus de citron
Sel, poivre de Cayenne
1 petite branche de céleri

❶ Coupez la tranche de toast en petits
morceaux. Versez 2 cs d'eau sur la moitié
d'entre eux. Faites brunir l'autre moitié
dans une poêle avec 2 cc d'huile d'olive.
Retirez du feu et laissez refroidir.

❷ Ébouillantez les tomates puis passez-les
sous l'eau froide. Ôtez-leur la peau. Coupez-les
en quartiers puis épépinez-les. Écrasez la chair
grossièrement. Épluchez la gousse d'ail
et hachez-la. Épépinez le poivron et libérez-le
des parois internes. Lavez-le puis coupez-le
en tous petits morceaux.

❸ Mixez tomates, ail, poivron (excepté
une cs) et le toast de pain mouillé. Ajoutez
le concentré de tomate et le fond de légume.
Assaisonnez et relevez bien en ajoutant le jus
de citron, le sel et le poivre de Cayenne.
Couvrez et laissez au réfrigérateur pendant
une heure.

❹ Lavez le céleri et coupez-le en tous petits
morceaux. Versez-les, de même que le restant
de poivron et les croûtons sur la soupe.
Servez avec un toast de pain complet.

Dîner

Filet de canard
à la mangue

100 g de filet de canard
6 feuilles de menthe
1/2 citron non traité
Poivre noir du moulin
1 poivron (environ 300 g)
1 petite mangue (environ 250 g)
2 cc d'huile d'olive et de sel
1/2 cc de coriandre en poudre
1/2 cc de sucre roux
3 cs de vin blanc sec

❶ Retirez la peau du filet de canard et coupez-le
en morceaux fins. Hachez menu 3 feuilles
de menthe et mélangez-les à 2 cc de jus de citron
et au poivre, puis laissez la viande macérer
10 minutes dans cette préparation.

❷ Lavez et nettoyez le poireau et coupez-le
en rondelles de 0,5 cm d'épaisseur. Épluchez
la mangue et dénoyautez-la, puis coupez sa
chair en morceaux de 1,5 cm. Épluchez la moitié
de citron en ôtant la peau blanche et coupez
la chair en petits morceaux.

❸ Faites revenir 1 cc d'huile d'olive dans
une poêle et dorer, pendant 2-3 minutes
en remuant, les morceaux de canard égouttés.
Retirez du feu, salez et maintenez au chaud.

❹ Faites revenir le poireau dans 1 cc d'huile
d'olive pendant 2 minutes. Saupoudrez
de coriandre et de sucre et laissez dorer
brièvement. Mouillez de vin blanc. Ajoutez
la mangue et le citron et cuisez-les rapidement,
puis faites de même avec les morceaux
de canard. Salez et poivrez et ajoutez le restant
de menthe. Servez avec du riz brun.

CONSEIL

**ÉVITEZ
LA GRAISSE**

Lors d'un régime
amaigrissant,
le mieux est d'ôter
la peau du canard
qui constitue
sa couche
de graisse,
avant de faire rôtir
la partie sombre
et maigre
de la viande.

99

100

CONSEIL

SUBSTANCE PROTECTRICE DE LA PEAU

Plus vous mixez les abricots, mieux votre corps peut absorber le bêta carotène qu'ils contiennent. En outre, un peu de graisse – en l'occurrence la mousse d'amande – favorise son absorption dans l'intestin.

Déjeuner

Mousse d'abricot sur lit de toast

3 abricots
1 cc de jus de citron
1 cc de fructose (procurez-vous-en dans un magasin de produits naturels)
1/2 cc de mousse d'amande (en magasin de produits naturels)
2 toasts de pain complet
2 cs de faisselle
1 petite branche de menthe

❶ Lavez les abricots, coupez-les en deux et dénoyautez-les. Coupez grossièrement 3 moitiés d'abricots et mixez-les avec le jus de citron, le fructose et la mousse d'amande.

❷ Faites griller les toasts et tartinez-les de faisselle et de mousse d'abricot. Coupez les toasts en deux en diagonale et garnissez-les de petites feuilles de menthe.

❸ Coupez le restant d'abricot en fines lamelles et disposez-les joliment à côté des toasts.

Encas

Tartare de camembert

⬤ Coupez en petits morceaux 40 g de camembert (allégé). Émincez finement un petit oignon. Hachez menu 3 brins de persil. Mélangez le tout à 1 cs de yaourt allégé et 1/2 cc de moutarde. Assaisonnez de sel et de paprika doux. Disposez le tartare sur 1 ou 2 feuilles de radicchio. Servez avec une tartine de baguette complète.

Déjeuner

Aspic de jambon à la crème de basilic

1 petit concombre (environ 100 g)
1 petite tomate bien ferme
2 tranches de jambon cuit (environ 50 g)
Sel, poivre noir
1 feuille et demie de gélatine blanche
1/8 l de fond de légume (tout préparé)
2 cc de vinaigre de cidre
75 g de fromage blanc allégé
1 cc de jus de citron
4-5 feuilles de basilic

❶ Lavez le concombre, épluchez-le et coupez-le en deux dans le sens de la longueur, puis en fines lamelles. Lavez la tomate, équeutez-la et coupez-la en tranches.

❷ Disposez les tranches de jambon dans une assiette creuse. Présentez ensuite par-dessus les morceaux de tomate puis les lamelles de concombre. Salez légèrement et poivrez.

❸ Ramollissez la gélatine en la trempant 5 minutes dans de l'eau froide. Ajoutez 150 ml de fond de légume. Faites chauffer sans porter à ébullition. Exprimez la gélatine et diluez-la dans le fond chaud en remuant. Assaisonnez de vinaigre, de sel et de poivre. Arrosez le jambon de ce mélange et mettez l'assiette au réfrigérateur pendant 2 heures.

❹ Avant de servir, mélangez fromage blanc, jus de citron, sel et poivre. Lavez les feuilles de basilic, hachez-les menu et ajoutez-les. Disposez ensuite la crème de fromage blanc sur l'assiette au moment de servir. Dégustez avec du pain complet.

Dîner

Dorade sur lit de légumes

1 petite dorade vidée (environ 300 g)
Sel, poivre noir
1/4 cc de graines de fenouil
1 branche de thym
1 grosse tomate (environ 200 g)
1 fenouil (environ 250 g)
1 petite échalote
1 petite gousse d'ail
3 cc d'huile d'olive
1 cc de concentré de tomate
75 ml de fond de poisson (tout préparé)

❶ Lavez la dorade, tamponnez-la et faites dans la peau 2 à 3 coupures obliques. Salez et poivrez dessus et dedans. Concassez les graines de fenouil et disposez-les dans le ventre du poisson avec la branche de thym.

❷ Préchauffez le four à 225 °C. Ébouillantez la tomate et passez-la sous l'eau froide puis retirez la peau. Coupez-la en quartiers, épépinez-la et coupez-la en petits morceaux. Lavez le fenouil (en laissant de côté la partie vert clair), coupez-le en 4 puis en fines lamelles. Épluchez l'échalote et l'ail puis coupez-les menu.

❸ Faites revenir 2 cc d'huile d'olive dans une poêle pour dorer l'échalote et l'ail. Versez les lamelles de fenouil et laissez cuire 5 minutes environ. Ajoutez les morceaux et le concentré de tomate, le fond de poisson et mélangez bien. Salez et poivrez.

❹ Versez le mélange à la tomate dans un petit plat à gratin et disposez la dorade dessus en l'enduisant du restant d'huile d'olive.

Enfournez pendant 15 minutes environ (sur 4 dans un four au gaz et sur 200 °C dans un four à air pulsé). Hachez le restant de fenouil et saupoudrez-en la dorade avant de servir. Dégustez ce plat avec de la purée de pomme de terre.

➤ Variante : Vous pouvez également préparer la dorade en papillote. Disposez les légumes sur une feuille d'aluminium et déposez la dorade dessus. Fermez la papillote et enfournez-la à froid sur la grille à mi-hauteur. Laissez cuire le poisson pendant 25 minutes à 200 °C (sur 3 dans un four au gaz, et sur 180 °C à air pulsé).

La dorade sur lit de légumes régalera également vos invités.

101

① Lavez les champignons, puis émincez-les. Épluchez l'échalote et coupez-la menu. Faites revenir le beurre et l'huile dans une petite poêle à revêtement antiadhésif puis dorez champignons et échalote brièvement à feu moyen.

② Battez l'œuf dans l'eau minérale puis salez, poivrez et ajoutez le thym. Versez le mélange sur les champignons et poursuivez la cuisson à feu doux pendant 5 minutes jusqu'à épaississement de l'omelette. Remuez et laissez cuire 2 minutes supplémentaires.

③ Lavez les tomates cerise et coupez-les en deux. Lavez les feuilles de basilic. Disposez l'omelette, les tomates et le blanc de dinde sur une assiette et garnissez de basilic.

Encas

Rondelles de pomme marinées

● Lavez une pomme et ôtez-lui le cœur avec un couteau adapté. Coupez-la en rondelles fines. Mélangez du jus de limette avec son zeste râpé, 1/2 cc de gingembre moulu, 1 cc de sirop d'érable et 2 cs de jus de pomme.
Versez doucement la préparation sur les rondelles de pomme. Saupoudrez de fines lamelles de zeste de limette et de 2 cc de raisins de Corinthe.

La salade de pousses de soja aux crevettes est délicieuse et rafraîchissante.

Petit-déjeuner

Omelette aux champignons et blanc de dinde

75 g de champignons de Paris
1 échalote
1 cc de beurre
1 cs d'huile
1 œuf
2 cs d'eau minérale gazeuse
Sel, poivre noir
1/2 cc de thym
4 tomates cerise
2 fines tranches de blanc de dinde fumée
(environ 30 g)
4 feuilles de basilic

Déjeuner

Salade de pousses de soja

100 g de pousses de soja
100 g de courgettes
100 g d'épinards
1 petit poivron rouge (environ 120 g)
1 petit oignon
50 g de crevettes épluchées
2 cs de vinaigre de riz ou de fruit
1-2 cs de sauce soja
Sel, poivre de Cayenne
1 cs d'huile de chardon
1 cc de noix de cajou concassées

1 Versez les pousses de soja dans une passoire et passez-les sous l'eau chaude puis égouttez-les bien. Lavez les courgettes et râpez-les en fines lamelles. Triez les épinards, équeutez-les si nécessaire. Lavez-les puis égouttez-les bien. Coupez le poivron en deux. Videz-le et ôtez les membranes internes. Passez-les sous l'eau froide et coupez les deux moitiés en tous petits morceaux. Lavez les petits oignons puis émincez-les. Lavez les crevettes sous l'eau froide et laissez-les s'égoutter.

2 Mélangez dans un saladier le vinaigre, la sauce soja, le sel et le poivre de Cayenne ainsi que l'huile de chardon. Ajoutez tous les ingrédients – pousses, courgettes, épinards, poivrons, crevettes et oignon – en prenant soin de les mélanger précautionneusement à la sauce.

3 Faites griller les noix de cajou dans une poêle et saupoudrez-les sur la salade. Dégustez ce plat avec du pain suédois.

Dîner

Riz aux aubergines et au yaourt

1/2 oignon de petite taille
1/2 piment rouge de petite taille (peperoni)
2 cc d'huile d'olive
50 g de riz complet (précuit)
150 ml de fond de légume
Sel, poivre noir
1 pointe de cannelle et 1 pointe de piment
100 g d'aubergine
1 carotte (environ 75 g)
2 cc d'amandes hachées (environ 6 g)
50 de yaourt allégé
1 cc de jus de citron

1 Épluchez l'oignon et hachez-le menu. Lavez le piment et coupez-le en morceaux minuscules.

2 Faites revenir l'oignon, le piment et le riz 2 minutes environ dans un fait-tout dans lequel vous aurez préalablement fait chauffer de l'huile. Versez le bouillon, salez, poivrez puis ajoutez la cannelle et la pointe de piment. Poursuivez la cuisson jusqu'à ébullition puis laissez mijoter pendant 25 minutes, couvert et à feu doux. Remuez souvent.

3 Lavez l'aubergine et coupez-la menu. Lavez la carotte, épluchez-la et coupez-la menu. Intégrez les deux légumes au riz au bout de 10 minutes de cuisson. Faites dorer les amandes dans une petite poêle sans graisse. Ajoutez au yaourt le jus de citron, le sel et le poivre et mélangez.

4 Avant de servir intégrez les amandes au plat. Disposez ensuite le riz et le yaourt sur les assiettes.

CONSEIL

LE RIZ AU NATUREL

Utilisez du riz complet précuit. Il a été préparé selon un procédé particulier de cuisson à la vapeur réduisant considérablement son temps de cuisson, tandis que celui du riz complet « normal » varie de 35 à 50 minutes en fonction des variétés.

Tomate farcie
au corned-beef.

Petit-déjeuner

Soupe de framboise au kéfir avec du pain noir

100 g de framboises
2 cc de jus de citron
1 cc de fructose
125 g de kéfir allégé
50 g de pain noir
2 abricots secs

❶ Lavez et nettoyez les framboises et mettez-en 5 de côté. Coupez les autres et mixez-les avec le jus de citron et le fructose. Ajoutez le kéfir. Versez le tout dans une assiette creuse.

❷ Hachez le pain noir menu et coupez les abricots en petits morceaux. Mélangez le pain et les abricots et disposez-les sur la soupe avec les 5 framboises. Garnissez éventuellement de mélisse.

Encas

Tomate farcie au corned-beef

● Découpez le chapeau d'une tomate et videz-la. Coupez en petits morceaux 25 g de corned-beef (viande de bœuf en boîte) et 1/8 d'un petit oignon rouge. Ajoutez 1 cs de faisselle (20 % MG) et 1 branche de cresson. Salez et poivrez et mélangez bien. Remplissez la tomate et garnissez de cresson et de persil. Restituez le couvercle à sa place et dégustez.

Déjeuner

Boulettes de fromage sur lit de chicorée

125 g de fromage blanc allégé
40 g de camembert (14 % MG)
1/2 échalote
3 brins de persil
Sel et poivre noir
Cumin moulu
1 chicorée (environ 200 g)
2 cc de jus de citron
1 pointe de moutarde de Dijon
1 cs d'huile de tournesol
Poudre de paprika doux

❶ Écrasez le camembert à l'aide d'une fourchette. Épluchez l'échalote et coupez-la très finement. Lavez le persil et hachez-le menu.
❷ Ajoutez le camembert, l'échalote et le persil au fromage blanc et mélangez bien. Assaisonnez de sel, de poivre et de cumin. Déposez la préparation 30 minutes au réfrigérateur.
❸ Lavez la chicorée et coupez toutes les feuilles en lamelles de 1 cm de largeur. Disposez-les joliment sur une assiette. Préparez une sauce en mélangeant le jus de citron, le sel, le poivre et l'huile puis versez-la sur la chicorée.
❹ Retirez la préparation à base de fromage du réfrigérateur et, avec les mains mouillées, formez de petites boulettes et disposez-les sur la salade. Saupoudrez de paprika et servez avec du pain complet.

Dîner

Sébaste au chou-rave

150 g de filet de sébaste
2 cc de jus de citron
Sel, poivre noir
1 cc de moutarde
    modérément relevée
1 chou-rave (environ 250 g)
1 cc de beurre (environ 5 g)
Peau de citron râpée (non traitée)
1 cs de gouda râpé
4 feuilles de basilic

❶ Passez rapidement le filet de sébaste sous l'eau froide et tamponnez-le avec du papier de cuisine. Préparez le poisson des deux côtés avec du jus du citron, poivre, sel et moutarde.
❷ Lavez le chou-rave puis épluchez-le en laissant la partie verte et tendre de côté. Coupez-le en fines tranches ou bien râpez-le.
❸ Faites fondre le beurre dans un grand fait-tout puis rapidement revenir les tranches de chou-rave en remuant. Assaisonnez de sel, poivre et de zeste de citron. Ajoutez le poisson et faites cuire le tout à feu doux pendant 10 minutes environ.
❹ Saupoudrez la préparation de fromage râpé et poursuivez la cuisson pendant 5 minutes environ en fermant le couvercle, jusqu'à ce que le fromage soit fondu.
❺ Lavez les feuilles de basilic et de chou-rave, hachez-les menu et saupoudrez-les sur le plat avant de servir.
Dégustez avec des pommes de terre en robe de chambre.

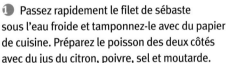

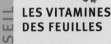

CONSEIL

LES VITAMINES DES FEUILLES

Consommez les feuilles du chou-rave. Fraîches et hachées menu, elles sont encore plus riches en vitamines que le bulbe, surtout en bêta carotène et en phosphore.

105

Vous avez suffisamment perdu de poids ? La soupe au chou et le régime alterné sont derrière vous ? Ne faites surtout pas l'erreur de vous jeter immédiatement sur le rôti et les frites. Gardez la ligne, la santé et la joie de vivre...

Combien de kilos avez-vous perdu ? Remplissez un sceau d'une quantité de sable équivalente – et faites le tour de la maison en le portant. Vous prendrez bien mieux conscience de ce que vos hanches ont supporté.

Comment congédier définitivement vos kilos en trop

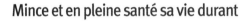

Faites comme Nina Hagen et buvez tous les jours du jus de blé ou bien gorgez-vous de la force minceur des enzymes comme Leonardo Di Caprio. Consommez quotidiennement des brûleurs de graisse et évitez les pièges à sucre...
Prenez connaissance des 77 conseils magiques et vous maigrirez davantage. On parie ?

Mince et en pleine santé sa vie durant

Vous n'avez vécu que quelques jours différemment. Vous n'avez pas avalé de plats prêts à consommer et votre corps n'a pas été gavé de colorants. Vous avez fait le plein de substances nutritives. Vous n'avez pas satisfait votre âme à 100 % mais vous êtes content de vous-même car vous avez perdu du poids. Votre avenir ? une nouvelle vie plus mince, épanouie et pleine de santé. Non ! Ce n'est pas si compliqué ! Chaque hot-dog est un apport pour votre corps. Pas si nocif que ça, car votre organisme en digère une bonne partie. Ce qui est mauvais c'est de manger 365 hot-dogs par an.

Un palais raisonnable

Ce n'est pas la délicieuse praline dont vous vous régalez qui est nuisible. Pas plus que la pizza que vous dégustez le soir entre amis. Ni même le somptueux rôti de porc que votre mère a cuisiné pour votre anniversaire. Ce ne sont pas les jours de fête qui pèsent lourd mais les 364 autres. Tout ce que vous faites et mangez se répercute sur votre compteur d'énergie et sur vos hanches. N'ayez pas mauvaise conscience en dégustant la praline. Mais soyez conscient du fait que votre

corps a besoin de votre affection et de votre attention. Ce sont les plus puissants des carburants. Les 77 conseils ci-dessous indiqués vous aideront à vous alimenter sainement au quotidien.

1 Le sceau de sable : le roi de la pop musique, Karl Moik a perdu 12 kg. Au bout de 3 jours de régime à manger des fruits et légumes, sans viande de porc, ni une goutte d'alcool, il a perdu 3 kg. Il a alors versé 3 kg de sable dans un sceau et fait le tour de la maison en le portant. « À ce moment, j'ai compris pour la première fois ce que je me traînais ! » Faites de même. Remplissez de sable un sceau en fonction du nombre de kilos que vous avez perdus ces 7 derniers jours. Puis faites le tour de la maison en le tenant à bout de bras. Commencez une nouvelle vie mince.

2 Compter les calories fait grossir. C'est ce que prétendent toutes les études. Ceux qui se contrôlent constamment ne peuvent pas tenir sur la longueur. Formule minceur n° 1 : oubliez les calories et les joules !

3 Écoutez votre corps. Mangez avec plaisir et bonne conscience. Lorsque vous avez faim, mangez à satiété ce que votre organisme a envie d'absorber – et non jusqu'à ce que l'assiette soit vide. Réveillez votre intelligence somatique. Prenez conscience de ce que votre corps souhaite obtenir de vous.

4 Le stress gave. Le stress est l'un des facteurs les plus importants de prise de poids. Les études montrent que les gens stressés mangent plus gras et plus sucré. Pratiquez régulièrement vos exercices de respiration de la page 46 et apprenez une technique de décontraction.

5 Régime signifie art de vivre. Cela ne sert à rien à la longue de remplir votre moteur de « déchets » et de vous lancer continuellement dans de nouveaux régimes. Le régime est une conception de la vie (cf. page 17) – qui a même la vertu de pouvoir être joyeuse.

Des muscles et non de la graisse

6 Courir ou marcher peut vous faire perdre 2 000 calories par semaine (30 minutes correspondent à 400 calories). L'activité physique accélère le métabolisme des graisses et vous brûlez chaque jour davantage de calories.

7 Entraînez vos muscles un minimum de 3 fois par semaine. C'est votre capital minceur !

8 Une télévision active. Installez votre coin fitness devant votre télévision. Qu'est-ce qui vous empêche devant un bon policier de faire travailler vos muscles au lieu de grignoter des chips ? Rien. En revanche, pour assimiler un sachet de chips, il vous faudra faire 40 km de vélo.

9 Un frein à la frustration et à la boulimie : ceux qui s'activent physiquement sont plus équilibrés et ne compensent pas la frustration en mangeant, car ils éliminent, ce faisant, le stress et les soucis.

10 Activités minceur : ne retrouvez pas vos amis uniquement autour d'un bon gueuleton. Emmenez-les plutôt faire une balade, du vélo ou du skate…

Mince et active :
une sensation formidable !

107

La formule magique : cinq fois par jour

11 **Cinq fois par jour :** vous devriez manger 600 g de légumes et de fruits par jour – ce qui représente 2 portions de fruits et 3 portions de légumes. 1 portion = « une poignée pleine » ou bien 0,2 l de jus de fruits ou de légumes frais.

12 **Pour commencer la journée :** dévorez le matin un grand bol de salade de fruits en plus d'un produit laitier allégé. À moins que vous ne préfériez manger du pain complet avec de l'huile d'olive et des tomates.

13 **En partie cru !** Préparez-vous tous les jours un petit bol de fruits et légumes crus : pomme, céleri rave, carottes, en ajoutant 1 cc d'huile d'olive et de jus de citron.

14 **Grignotez** toute la journée des lamelles de légumes (poivron, concombre, fenouil, céleri en branche) avec une boisson au yaourt.

15 **Le conseil légumes** du professeur Peter Schleicher : « Je coupe 1 kg de brocolis, poireaux, oignons, courgettes, poivrons et carottes. Je caramélise 1 cc de miel que je mélange à 3 cs de vinaigre de cidre et à 1 cs d'huile d'olive. Je fais cuire les légumes. Et je déguste toute la journée un délicieux plat sucré salé et particulièrement léger. »

16 **Fruits et légumes de la saison !** Les transports nuisent à la qualité des fruits. Leur teneur en substances nutritives est égale à zéro au bout de quelques jours. À cela s'ajoute le fait qu'ils sont récoltés avant maturité pour leur permettre de supporter le transport. Il leur manque donc le soleil des derniers jours générant 50 % des substances vitales du fruit.

17 **La force minceur des enzymes :** Pour tourner le film « The beach », Leonardo Di Caprio a eu recours aux enzymes pour réussir ses prouesses de sauvetage : il a mangé kiwis, papayes, melons et ananas, bu de l'eau minérale et fait de la gymnastique sur la plage.

Doping autorisé : des lamelles de légumes crus.

Mangez 5 fois par jour des fruits et des légumes.

Divisez les graisses par deux

18 Deux possibilités : l'acteur Clint Eastwood se nourrit de burgers au soja sans graisse. Quant à Joschka Fischer, il brûle ses graisses en faisant 10 kilomètres de jogging par jour.

19 Réduisez les graisses comme le beurre, la crème et la margarine. Ôtez la peau et la couenne des viandes.

20 Pour la cuisine, utilisez surtout de l'huile d'olive de qualité obtenue par pression à froid, de l'huile de tournesol (cuisson à forte température), de l'huile de colza et d'arachide. Pour les salades, n'hésitez pas à goûter des huiles fines comme l'huile de noix.

21 Le blanc de préférence : réduisez votre consommation de viande rouge au profit du poisson de mer et de la volaille. Préférez la viande biologique à la viande d'élevage.

22 Consommez beaucoup de légumineuses, fruits, légumes, céréales complètes (riz, nouilles, pain, müesli), pommes de terre et salade : particulièrement pauvres en graisse.

23 Évitez au maximum : les plats prêts à consommer. Les aliments naturels sont plus pauvres en graisses et leur indice glycémique est moins élevé.

24 Méfiez-vous des pièges à graisse : gâteaux, tartes, crèmes glacées, chocolat, pizzas, charcuterie et la panure, véritable éponge à graisse.

25 La charcuterie, oui, à condition que vous la consommiez en tranches très fines.

26 Les viandes maigres comme le rosbif, l'escalope de dinde, le jambon sans couenne sont meilleures pour la santé.

27 Le müesli magique : préparez votre müesli vous-même. Celui que vous achetez tout prêt regorge souvent de graisse et de sucre..

28 Cuisinez léger : utilisez une poêle à revêtement et enduisez-la d'huile au pinceau. Jetez la graisse après la cuisson de la viande. Les cuissons à la vapeur ou à l'étuvée sont meilleures pour la ligne, de même que la cuisine au grill.

L'indice glycémique (GLYX)

29 Évitez les boissons pièges à sucre comme les colas, les limonades, les nectars de fruit et la bière, car elles favorisent la production d'insuline, hormone qui fait grossir (cf. page 44).

30 Les boissons minceur idéales sont l'eau minérale, les infusions de fruits et d'herbes, le thé vert, les jus de fruits et légumes (sans ajout de sucre et fraîchement pressés), le babeurre et le kéfir.

31 Le vin : vous y avez droit ! À condition de ne pas dépasser une consommation d'1 à 2 verres par jour. Le vin doit être sec de préférence.

32 Les bons sucres : le sucre est une magnifique invention. Mais seulement sous forme d'assaisonnement. Utilisez-le avec parcimonie. Ayez recours avec modération au sucre naturel comme le sirop d'érable, le concentré de pomme ou de poire.

Même après le régime, l'huile d'olive doit faire partie de vos ingrédients favoris.

33 **Le trésor des abeilles** : d'après les études, le miel surcharge moins le sang en sucre. C'est le sucre idéalement adapté aux sportifs.

34 **Un moyen magique** : le stévia. Cette plante originaire d'Amérique latine sert de sucre aux Indiens depuis des milliers d'années. Elle ne favorise pas la production d'insuline, mais elle est encore relativement peu utilisée en Europe. Au Japon, elle participe depuis 30 ans à la production de presque tous les aliments. On peut même la cultiver sur son balcon. Si vous souhaitez en savoir plus, n'hésitez pas à naviguer sur Internet qui vous révélera une somme d'informations intéressantes.

35 **En manque de sucre ?** Vous ne pouvez pas vous passer de sucre ? Ceci est peut-être révélateur d'une carence en sérotonine. L'alternative pauvre en calories qui s'offre à vous, c'est la lumière. Faites donc le plein de lumière et le taux de sérotonine dans le cerveau augmentera. Parlez-en à votre médecin, car il existe des lampes spéciales.

36 **Le sucré ?** Si vous en consommez, faites-le plutôt l'après-midi. Évitez de tomber toute la journée dans les pièges à insuline. Un conseil : le parfum de la vanille est censé chasser l'envie de chocolat. Il existe également sous forme d'onguent.

37 **Les combinaisons fatales** : un indice glycémique élevé combiné à la graisse se répercute deux fois plus sur les hanches. Le rôti de porc avec les quenelles, le riz à la crème fraîche, le pain tartiné de beurre et de confiture, les pizzas et les pommes frites, le croissant au chocolat et la baguette au fromage comptent parmi les associations d'aliments à éviter à tout prix.

38 **Les bonnes combinaisons** : l'agneau avec du riz complet, le blanc de dinde avec des pommes, les pâtes aux légumes, le riz complet aux crevettes, les tomates mozzarella, le yaourt ou le müesli aux fruits, le pain complet avec des tomates, le melon avec le jambon comptent parmi les bonnes associations d'aliments.

Le miracle des protéines

39 **Le trio** : « 10 kilomètres de jogging quotidiens, un énorme bol de salade et une boisson protéique », c'est le secret minceur de l'auteur de best-sellers Hera Lind.

40 **Quatre fois par jour,** une portion de protéines : mangez de la volaille, du poisson, des légumineuses, du chou, des champignons, des produits laitiers sans matière grasse (fromage blanc, babeurre, fromage).

41 **Pas de temps ?** Alors préparez-vous une boisson protéique et mangez des fruits au lieu de vous précipiter au fast-food.

42 **Le miracle minceur** : le poisson. Vous devriez normalement manger du poisson 5 fois par semaine et de préférence du poisson de mer. Les huiles de poisson nettoient les vaisseaux sanguins, protègent de l'infarctus, renforcent le système nerveux et protègent la peau de certaines maladies. Elles agissent même contre le diabète et les rhumatismes. Les protéines des poissons accélèrent la combustion des graisses. En outre, le poisson est riche en tyrosine, protéine favorisant l'activité cérébrale, à partir de laquelle l'organisme produit la dopamine, dite hormone minceur et la noradrénaline. C'est l'un des aliments (avec les algues) les plus riches en iode.

Faites le plein en protéines et n'hésitez pas à vous préparer une boisson protéique.

Le modelage du corps

43 Le massage : le massage quotidien de la peau sous la douche avec un gant en sisal ou une brosse adaptée favorise la circulation sanguine aux endroits du corps les moins bien irrigués. Le renouvellement des cellules est ainsi activé sur le long terme, et la peau se raffermit.

44 Le sel marin : versez 250 g de sel marin dans votre bain. Les tissus évacuent l'eau et la peau se raffermit.

45 L'élimination des rondeurs : un drainage lymphatique effectué par un masseur fait du bien à l'âme, favorise le flux lymphatique et atténue les gonflements.

Un temps minceur magique

46 Changez vos habitudes. L'industrie vous nourrit à 75 % des aliments morts produits à la chaîne ? Et bien, il est grand temps de changer les choses et d'inverser impérativement ce rapport : nourrissez-vous à 75 % de plats cuisinés par vos soins. Vous pourrez ensuite vous nourrir, à proportion de 25 %, de ce dont vous avez envie.

48 Un choix intelligent : préparez avec plaisir ce que vous aimez. Vous pouvez évidemment vous servir dans le congélateur. Vous n'êtes pas obligé de plumer vous-même la volaille et de pêcher votre poisson. L'épluchage des légumes peut même se faire sans vous.

49 Mangez lentement. L'hormone cholécystokinine nécessite entre 10 et 20 minutes pour signaler au centre de satiété situé dans le cerveau que vous avez suffisamment mangé.

50 Le démarrage minceur : un bouillon clair ou une salade avalés sur le pouce remplissent le ventre et libèrent l'hormone de la satiété.

51 La règle des 10 minutes : lorsque la faim commence à se faire sentir, concentrez-vous sur autre chose pendant une dizaine de minutes. Cela permet de chasser l'envie. Seule la véritable faim ne peut attendre.

La brosse de massage favorise la circulation sanguine et une petite tasse de bouillon clair déclenche la production de l'hormone minceur.

111

CONSEIL

47 LE PRIX DE LA MINCEUR
Laissez de côté les offres spéciales et investissez plutôt dans les aliments de qualité. Votre santé y trouvera son compte. Faites vos achats chez le pharmacien lorsque vous ne vous nourrissez pas convenablement à 100 %. Procurez-vous de bonnes préparations de substances nutritives. Les vitamines et minéraux sont les ouvriers de votre métabolisme. Si vous êtes carencé, vous prenez du poids.

Grignoter permet d'absorber régulièrement les substances nutritives bienfaisantes.

112

La bonne manie des encas

52 Grignotez. Rayez de votre tête la fable des trois repas par jour. Le grignotage est inscrit dans nos gênes. Nos ancêtres picoraient ici une racine et deux kilomètres plus loin, ils avalaient un fruit, un peu plus tard encore quelques baies. Pratiquez donc les petits encas, car les trois repas ne peuvent suffire à apporter à votre corps les 40 substances nutritives dont il a besoin.

10 encas magiques...
... tantôt sucrés

53 Mélangez les fruits secs : abricots, pruneaux, pommes.
54 Dégustez des figues sèches ou fraîches avec du fromage de chèvre.
55 Goûtez à la mousse de pomme avec des tranches de gingembre.
56 Rafraîchissez-vous avec un yaourt allégé et des fruits rouges frais.
57 Dévorez une barre fruitée (sans sucre).

... tantôt nourrissants

58 Préparez-vous un avocat aux fines herbes avec du jus de citron.
59 Croquez dans des biscuits complets avec du cottage cheese.
60 Dégustez des amandes, des graines de tournesol et des graines de potiron.
61 Mangez des bretzels complets à la moutarde.
62 Pensez aux tomates et cottage cheese.

CONSEIL

63 COMMENT VOUS SENTIR MINCE
D'après les études, quand on se sent trop gros, difficile de perdre du poids avec entrain.

➤ Dans vos chaussures de jogging, vous vous sentez tout de suite plus léger et en forme. Le soir, les talons aiguilles rendent les jambes douloureuses et la journée, ils torturent le pied.
➤ Le noir et les couleurs sombres cachent les kilos. À partir de 40 ans, la couleur beige amincit et rajeunit beaucoup de femmes.
➤ Les cols en V allongent le cou.
➤ Une jolie tenue montre les courbes : elle souligne le corps, à condition de ne pas être trop moulante.
➤ Le dos bien droit et les épaules en arrière. La poitrine en avant, et le ventre disparaît.

Les brûleurs de graisse de A à Z

64 Acide ascorbique. Les gens trop enrobés sont souvent carencés en vitamine C, ce qui occasionne une production trop faible d'enzymes brûleuses de graisse. Pour compenser, il est recommandé de se procurer de la poudre d'acide ascorbique en pharmacie. Diluez-la dans un verre d'eau et ajoutez la moitié d'un citron.

65 Algues. Elles sont riches en iode, permettant à notre centrale énergétique, la glande thyroïde, de produire l'hormone minceur. Le sushi est l'un des mets les plus délicieux contenant des algues.

66 Avocat. C'est le fruit le plus gras. Pourtant, il contient des acides gras dont nous avons besoin autant que des vitamines. Ses insaponifiables inhibent l'insuline.

67 Ayurveda. Christine Kaufmann boit huit verres d'eau chaude répartis sur toute la journée. Cela détoxique, soulage et accélère le métabolisme. En outre, un verre d'eau chaude avant de manger met un frein à l'appétit.

68 Blé (jus). C'est le remède minceur de Nina Hagen : « Lorsque je me sens trop grosse, je maigris rapidement en buvant du jus de blé. »

69 Carnitine. cette substance biologique (dans la viande et la volaille) transporte les molécules graisseuses dans les fourneaux des muscles où elles sont consumées. On trouve des capsules de carnitine en pharmacie.

70 Chili (piment). Il contient de la capsaicine. Il favorise la production d'endorphines (qui donnent le sourire) et accélère la combustion des graisses.

71 Hormone de croissance STH. Elle développe les muscles et fait fondre la graisse. Préparez-la vous-même au saut du lit : 2 cuillerées à soupe de yaourt sans matière grasse plus 2 cuillerées à soupe de flocons d'avoine complets.

72 Huîtres. Elles sont riches en zinc et en protéines. Elles sont excellentes pour le moral et détestent les graisses.

73 Levure de bière. Elle est riche en chrome et augmente de 400 % la combustion des graisses dans le muscle. Les gens trop enrobés souffrent souvent de carence en chrome. La levure de bière se trouve partout, en pharmacie, en supermarché et dans les magasins de produits naturels. Buvez du thé et mangez des noix du Brésil.

74 Réglisse. D'après les études, un morceau par jour aide à éliminer les graisses.

75 Thé vert. Claudia Schiffer en boit tous les jours quatre tasses. Il tonifie, apaise la faim et chasse la graisse des hanches. Il protège le cœur et prévient le cancer.

76 Vinaigre de cidre. Il favorise la combustion des graisses dans notre organisme et atténue nos envies de bombes caloriques comme les chips et les barres chocolatées. Les acides du vinaigre accélèrent le métabolisme des protéines et la fonte des graisses. La recette : mélangez 0,2 l d'eau, 2 cuillerées à soupe de vinaigre de cidre et une cuillerée à café de miel. Buvez cette potion le matin à petites gorgées.

77 Soupe au chou. Si vous avez accumulé des kilos après les fêtes, préparez-vous une soupe au chou pour les trois jours suivants. Il s'agit - comme vous l'avez compris - du brûleur de graisses le plus efficace !

Pour compulser

À lire chez le même éditeur

Les recettes

Recettes de soupe au chou

Soupes au chou internationales

Semaine magique

Boissons cocktails

Plats chauds

Recettes aux fruits

Carpaccio exotique 64
Soupe de melon magique 64
Avec la baguette magique 64
Sur la baguette magique 64
Doux mélange fruits yaourt 64
Soupe de melon magique 64
Délicieux sorbet de fruits 64

Recettes aux légumes

Fast-food de légumes crus 68
Blanchissez la salade 68
Cuisson magique à la vapeur 69
Magie de l'aluminium 69
Rapidement prêt grâce au wok 69
Cuisson au grill 69
Multiplication des vitamines 69
Ode à la tomate 74

Régime alterné

Petit-déjeuner

Porridge de millet à l'orange 92
Pâte à tartiner au chou-rave
    et graines de tournesol 94
Mangue sur lit de fromage blanc
    à la noix de coco 96

Assiette turque au fromage de chèvre 98
Mousse d'abricot sur lit de toast 100
Omelette aux champignons
    et blanc de dinde 102
Soupe de framboise au kéfir 104

Encas

Carottes à grignoter 66
Sandwichs au radis blanc relevé 92
Fraises au fromage blanc vanillé 94
Jus de tomate aux fines herbes 96
Salade de kiwis et d'ananas 98
Tartare de camembert 100
Rondelles de pommes marinées 102
Tomate farcie au corned-beef 104
Lamelle de légumes et boisson
    au yaourt 108
10 encas magiques 112

Salades et plats froids

Cœurs de salade à la rémoulade
    de yaourt 92
Salade de hareng aux poires
    et aux haricots verts 94
Blanc de poulet sur lit de choucroute 96
Gaspacho aux croûtons 99
Aspic de jambon à la crème de basilic 100

Salade de pousses de soja
    aux crevettes 103
Boulettes de fromages sur lit
    de chicorée 105

Plats chauds

Papillote de cabillaud aux épinards 93
Ragoût de pois cassés au gremolata 95
Nouilles revenues au tofu 97
Blanc de canard à la mangue 99
Dorade sur lit de légumes 101
Riz aux aubergines et au yaourt 103
Sébaste au chou-rave 105

Index

CHEZ LE MÊME ÉDITEUR

ISBN 2-7114-1553-8

ISBN 2-7114-1550-3

ISBN 2-7114-1585-6

ISBN 2-7114-1479-5

Des ouvrages très illustrés, en couleur, qui traitent de fitness et de bien-être avec conseils et recettes.
Vous y trouverez des textes clairs, des exercices simples, des explications détaillées mais concises, qui vous permettront de vivre mieux.

AUTRES TITRES CHEZ LE MÊME ÉDITEUR:

- ➤ M. Rüdiger: la marche rapide │ ISBN 2-7114-1586-4
- ➤ M. Rüdiger, S. Häberlein: Modeler son corps – ventre, jambes, fesses │ ISBN 2-7114-1549-X
- ➤ U. Strunz: Rester jeune, la clé du succès │ ISBN 2-7114-1605-4
- ➤ C. Kuhnert: Avoir un corps superbe grâce à la méthode "Pilates" │ ISBN 2-7114-1552-X

VIGOT

Crédits photographiques

Couverture

Jump: b1
C. P. Fischer: Hintergrund
A. Hosch, R. Schmitz, T. Roch: b4

Pages intérieures

action press / allsport photographic: 6
Corbis Stock Market: 81 (Darama),
   88 (David Raymer)
GU: Andreas Hosch 55;
   Manfred Jahreiß 21, 52, 69, 90,
   91, 111;

Studio Reiner Schmitz: 4, 7, 9, 12–14,
16, 18, 20 re, 22, 24, 25 u, 26, 30,
36–39, 41, 42, 44, 45, 48–50, 53, 59,
63, 66–68, 70, 72, 73, 75, 77, 78, 82,
86, 92–104, 108 li, 109, 110, 112, 113;
Tom Roch: 8, 11, 15, 54, 62 b, 64, 69 b,
71, 74, 79, 80, 84, 85, 106;
   Martin Wagenhan: 47, 56–57
Rolf Hayo: 16.1
Jalag (E. Haase): 58
Jump (K. Vey): 107
Mauritius/PowerStock: 10
Mauritius/SF&H: 62 li

Photobusiness–Artothek: 28
pwe Kinoarchiv Hamburg: 29
StockFood: 32.2 (Rosenfeld Images LTD),
   32.1, 33.1 (Ulrike Köb), 32.4, 33.2, 33.3,
   33.4, 34, 35, 60, 65, 105 (S. & P. Eising),
   51 (Miles)
Teubner Foodfoto: 20 li, 32.3, 40
The Stock Market: 76 (José L. Pelaez),
   83 (M. Keller), 108 (Michael Keller),
   62 re (Paul Steel)
Wilke: 25 o.

Traduit de l'allemand par Sabine Bocador.

Pour l'édition originale parue sous le titre Die Magische Kolhsuppe – Das Kultbuch
© 2002, Gräfe une Unzer Verlag GmbH, Munich, Allemagne

Pour la présente édition :
© 2004, Éditions Vigot - 23, rue de l'École-de-Médecine, 75006 Paris, France.
Dépôt légal : février 2004 - ISBN 2 7114 1628 3

Photocomposition : Facompo - Lisieux.

Imprimé en France par l'imprimerie Clerc en février 2004.